# 裏切られた未来

## インターネットの30年

川本裕司 Kawamoto Hiroshi

花伝社

## 推薦の言葉

※敬称略

近年、私たちのありようは、ネットやSNSによって激しく変わった。情報への向き合い方も。中身は容れ物によって変わる。川本さんは生粋の新聞記者。僕はと言えば、テレビ報道の人間。本書を読み進むうちに、苦悶する川本さんの姿が目に浮かんできた。僕もおんなじだからだ。デイリー・ミー／いいね！戦争／集合知より集合愚／正義中毒…壊れかけている公益的な社会資本＝コモンとしての公共情報を取り戻すために、本書を薦める。

――金平茂紀（ジャーナリスト）

裏切られた未来——インターネットの30年◆目次

# プロローグ

インターネットのない世界はもはや考えられない。日本でインターネットイニシアティブ（IIJ）が郵政省（当時）から「特別第二種電気通信事業者」として認可されたのは1994年2月、商用の国際インターネットサービスが始められたのは翌3月と30年前のことだ。翌年の95年、インターネットの普及のきっかけとなった「ウィンドウズ95」の日本語版が販売された。

それから30年近くたったあと、朝日新聞デジタルの伊藤大地編集長はネットメディアをテーマにしたコラムで述懐した。「国境も人種も言語も関係なく、誰もが自由闊達に交換ができる。インターネットの登場以来、多くの人が見続けてきた夢だ。しかし、誹謗中傷や誤情報が飛び交う現実に、『みんなとつながれるようになんて、ならなくてもいいのかも』と思い始める。これが、小さな分断の始まりなのだろう」（2022年12月3日付朝日新聞）。

マスメディアとして音声による即時性を武器としたラジオの時代から、音声に加え映像も即座に伝えられるテレビが、娯楽や報道の分野における影響力においてメディアの首座の地位に取って代わったのは戦後だ。米国でテレビの力を印象づけたのは1960年にあった大統領選だった。テレビ討論会のテレビ映りの良さで同時に登場したリチャード・ニクソン候補（共和党）を上回ったJ・F・ケネディ候補（民主党）が接戦を制した、と指摘されている。

その翌61年5月、米連邦通信委員会（FCC）のニュートン・ミノー委員長は「テレビは一望の荒野である」と、全米放送事業者協会（NAB）の年次大会で、放送事業者を前にテレビへの失望を前面に表明する演説をした。「受信機の前にじっとすわり、放送がすっかり終わるまで眼を受信機に釘づけにしてごらんなさい。私は断言できる。皆さんは広漠たる荒野を見るであろう」と。

続けてその具体例を並べ上げた。「皆さんが見るのはゲームの見せ物、暴力、視聴者参加番組、荒唐無稽な陳腐なホームコメディ、流血沙汰、傷害暴行、暴力、サディズム、人殺し、西部の悪玉、西部の善玉、秘密の眼、ギャング、またもや暴力、そして漫画の連続である。そうして最後にコマーシャル――おびただしい絶叫、甘い撫で声、そして不快になるもの。大ていは退屈である。なるほど楽しいものが若干あるだろう。しかしそれはごくごく少ない」。各局の夕方の大半が喜劇、バラエティ、クイズ、映画などで編成されていると指摘し、その原因についても切り込んだ。

「テレビの大多数がこうもひどいのはどうしたわけからであろう。私は多くの答えを聞いた。例えば広告主の要求があるからだ、視聴率の上昇を求めてやまない競争があるからだ、大衆視聴者を引きつける必要が常時あるからだ、テレビ番組の経費が高い、番組制作上の素材に対するあくなき貪欲から……これらはそうした答えの一部である。これらが安易な回答を許さないむずかしい問題であることは間違いない。しかし私には、皆さんがこの問題を解決しようと十分に頑張ってみたとは思えない」（酒井二郎『テレビは一望の荒野か』、時事通信社、1962年）

コミュニケーションにおける夢物語の実現が期待されていたインターネットが、さほど時間をおかずして負の側面を見せるようになり、テレビと似た軌跡を歩んでいるように映る。

生活にとって欠かせないものとして、インターネットは石油に似ている。エネルギー革命で石炭に取って代わった石油。自動車や暖房器具の燃料として、プラスチックの原料として、石油のない日々は成立しないだろう。石油を今日ほど使わずに暮らしていたはずなのに、石油なしでは社会が動かなくなってしまった。

30年前にインターネットなしで世の中は不都合なく回っていたはずなのに、ネットなしの現実はもはや成立しない。

石油の埋蔵量は有限といわれ、使い切ってしまう日の到来の可能性は十分にある。一方、ネットが利用されない将来は想定しづらい。さまざまな規制や制約が課せられるかもしれないが、いまのところ技術面から使えなくなるという予測は示されていない。もし、姿を消すとしたら、他のメディアと同じように、より便利で効率的な媒体に駆逐されるときだろう。ただ、そんな日が訪れるのは、まだ想像できない。

実際に、先ほど取り上げた米FCCのミノー委員長の「テレビは一望の荒野である」という言葉が頭にすぐに思い浮かばなかったとき、私が頼ったのはグーグル検索だった。たしか、米国で以前にテレビの「荒廃」について「原野」と言っていたのではなかったっけ。「テレビ　荒廃　アメリカ　原野」と四つのキーワードで検索するが、出てこない。「荒廃」ではなくて

「荒涼」だったか、発言者の名前は「ミーム」だったかな。用語を切り替えながら10分ほどして、「テレビ　荒野　ミーム」で検索すると、「動画配信の世界には、いまや『一望の荒野』が広がっている」という雑誌『WIRED JAPAN』２０２２年12月4日号の記事がヒットした。

　この記事で、「米連邦通信委員会（ＦＣＣ）の委員長だったニュートン・ミノーが１９６１年、米国のテレビのことを『一望の荒野である』と称したことがある」という一節にたどりつけたのだった。ネット検索がなければ、「一望の荒野」という言葉やミノーという名前が判明するまでに、知っていそうな人に電話で聞くか、手がかりが載っていそうな文献にあたるかなどして相応の時間を要したはずだ。たしかに、便利な道具だ。

　しかし、誤情報やフェイクニュースが駆け巡り、発信者を明かさない誹謗中傷が絶えない、いびつなインターネットの世界が、いつまで生き延びられるのか、はなはだ疑問だ。現在の欠陥が正されないならば、技術的な限界が訪れないにせよ、「持続可能性」に終止符が打たれる日がそう遠くない気がする。

　インターネットは１９６０年代初頭に米国防総省がコンピューターネットワーク「アーパネット」を開発し、69年にメッセージが送られた、といわれている。79年に電子メールという新しいコミュニケーションの基盤が見いだされて用途が広がり、80年代後半には新しいネットワークが数多く生まれてつながり、インターネットという名称が使われるようになった。89年にアーパネットは全米で地域ネットワークに移行、92年にはインターネットの商用利用が始まった。
華やかで明るい未来が語られていたインターネットは、いつ道を間違えたのだろうか。それとも、内包していた危険性に気づかず夢物語を描いていただけなのか。ITと社会のありようについて長年にわたり考察を重ねてきた西垣通・東京大教授（情報学）は、２００７年の著書『ウェブ社会をどう生きるか』（岩波新書）でウェブ礼賛論が主張する集合知のユートピアについて、「ウェブのなかでは絶え間なく情報発信がなされますが、発信元は匿名の場合も少なくないし、発信元の名称変更も自由自在ですから、過去の発言との論理的整合性も不明瞭で、責任を問うことも難しい」と問題点を摘出した。13年に退任した西垣東京大名誉教授は23年の著書『超デジタル世界』（岩波新書）でも、「ネット上のＳＮＳコミュニケーションは、一般の人々のあいだに情報共有による連帯と民主化を促進すると期待された。だが今や、ＳＮＳの内部にも匿名の誹謗中傷やフェイクニュースがあふれ、陰湿なイジメも横行している」と指摘している。

私はこれまで新聞記者として事実を知る人に肉薄し、インタビューすることで真相に迫ってきた。しかし、双方向性の機能をいかし直接民主主義の実現に貢献すると期待されてきたインターネットが予想を裏切って荒野の世界になったのかという問いに明快な答えを持つ当事者は、現状では思い浮かばなかった。このため、関係者に直撃するのではなく、関わりのあった人々の証言や記述を掘り起こすことを通じ、時系列に描くことによって問題のありかと回答の輪郭を立体的に浮かび上がらせることができるのではと考え、文献にこだわることにした。記録としての文字をたどり、それぞれに取り上げた登場人物から距離を取った叙述に徹するという手法を採用した。

私自身、日々、iPhoneを通して入るeメールをチェック、グーグルを使って検索し、フェイスブックの投稿を読み、LINEも使うという生活を送っている。インターネットを利用しない日はないといっていい。

インターネットの技術は次々に更新され、運営するIT企業が新たなサービスを始め、利用者も書き込みや発信を日々続けるという現在進行形の状況にある。ただ、サイバー攻撃による膨大な被害額やフェイクニュースを信じて実際に犯罪を起こす人の存在を想定できてはいなかった。フラットな立場で意見を交わしあうはずの場が、同じ考えの利用者が集まって似た情報を好む人たち同士が共鳴しあうというインターネットの特質が明らかになるにつれ、思いもしなかった「社会の分断」と「IT企業の独占」を招いたのが現実だった。さらに、生成AI（人工知能）の「ChatGPT」の機能向上も加わって、インターネット上でできることや到達点は見えにくくなっている。

同時に、2016年の米大統領選では度重なるフェイクニュースが流れたうえ、フェイスブックの利用者を通したロシアの介入が2年後に明らかになった。影響ははっきりしないとはいえ、民主主義の根幹である選挙を操作しようとしたことは見過ごせない。インターネットで広がりやすい陰謀論が各地で跋扈、ドイツでは2022年にクーデターを計画した極右勢力のメンバーらが逮捕された。日本では2023年夏、医療のデジタル化を進める政策と打ち出した健康保険証の廃止が、インターネットでも使われるマイナンバーカードのひもづけの誤りから波及して政局の焦点に浮上した。インターネットやデジタル技術をめぐる動きが政治や経済を左右し、これからの社会がインターネットの関わりなしには描けない現実になった。本物と見分けがつかないディープフェイクの画像や音声が使われ始めており、悪用されればどのような影響が出るか、想定もできない事態を迎えている。

自分に似た考え方のサイトを選んで同じような情報に包まれる「フィルターバブル」や類似した意見がより響きやすく自らの信条が正当だとの思いを強くする環境の「エコーチェンバー」という現象は、インターネットの弊害としてかねてから指摘されてきた。ところが、逆の立場の主張を伝える情報に接するようにしても、かえって自分の主張に固執するようになるというアメリカの研究結果が報告されている。また、スマホでのメールやショートメッセージが普及した結果、会話が減って若者の人間関係が希薄になっているというアメリカの臨床心理学者の指摘もある。デジタル・テクノロジーが広がりオンライン生活が定着するにつれ、SNSに振り回され、人間が本来もっていたはずの知恵が喪失されている、という警告が専門家から発せられている。

しかし、社会に深く組み込まれたインターネットのない世界に引き返すことはできない。パソコンやスマホの操作一つで調べごとを解決したり、商品を注文できる便利さを失ってもやむを得ないという人はほとんどいないだろう。政権に近いといわれた検察幹部の定年を恣意的に延長することを可能にする検察庁法改正を2020年に阻止できたのは、ツイッター（現在はX）で「#検察庁法改正案に抗議します」と声を上げた女性会社員の投稿がきっかけとなって小泉今日子さんら著名人の賛同の輪が広がったのが原動力となった。これまでの社会運動で実現できなかったことを可能にするパワーを、インターネットは持っている。ただ、技術は人間の使い方しだいで、毒にも薬にもなる。発信者が明らかにされない隠れみのから投げかけられるSNS上での非難によって死に追い込まれることもある。

インターネットの仕組み自体は「善」でも「悪」でもないが、誤ったニュースの方が真実のニュースより6倍速く伝わりやすいという研究結果を聞くと、「悪貨は良貨を駆逐する」という言葉が思い浮かぶ。SNS上で誹謗中傷を受けたあとプロレスラー木村花さんが自殺したことがきっかけとなり刑法が改正され侮辱罪が厳罰化されたが、ネット上の心ない無責任な非難は後を絶たず、変化といえば同種の自殺の報道後に誹謗中傷のアカウントが素早く削除されるようになったことぐらいだ。インターネットでは、善意よりも影響力の大きい悪意がストレートに伝わるのだ。

社会に大きな影響と衝撃を与えたインターネットが、黎明期から今日に至るまでどのように歩み、変容をとげてきたのかを丹念に追跡していくために筆を執った。経済規模を重く見るビジネスの観点ではなく、人々や世の中にどんな変化を及ぼしたかという視点から、インターネットを生体解剖したいと考えた。日々拡大を続けるネットの世界と格闘しながら、その将来を見つめていく道を模索した。当事者でさえ予想できなかったネットの現在に至るまでの軌跡をたどりながら、いま取り組むべきネットとの向き合い方、あるべき姿への提言を探っていきたい。なお、肩書と年齢は刊行・掲載あるいは発生当時のものとした。

# 第Ⅰ章　インターネットの黎明期に語られた明るい将来

## 1 「直接民主主義を現実化」「不特定多数の集約」

インターネットの国内普及に大きな役割を果たした慶応義塾大の村井純教授は、2010年に刊行した著書『インターネット新世代』(岩波新書)で、「九〇年代は、それまで専門家や研究者の間で発展したインターネットが商用化され、すべての人のために世界へ広がった」と書いた。その象徴として、1995年のマイクロソフトによるウィンドウズ95のインターネット機能無料組み込みを挙げている。

ウェブが1991年に誕生してから30年余り、インターネットがない世界はいまや考えられない。世の中のあらゆる分野で使われ、その影響力ははかりしれない。一部の人間だけが情報を知り物事を決定する仕組みから、誰もが考えを発信し民主的な手続きを経たうえみんなが納得できる世界へ向かうという期待も担っていた。

しかし、ネットの「破壊力」が個人に向かうと、縁もゆかりもない人からの誹謗中傷が殺到し、想像を超えるダメージを与えることになる。2020年5月にはフジテレビの恋愛リアリティー番組「テラスハウス」に出演していたプロレスラー木村花さん(当時22)が番組での発言やふるまいをネット上で攻撃され、自殺した。

木村さんの自殺は、社会に大きな衝撃を与えた。母響子さんの強い訴えも後押しとなり、侮辱罪を厳罰化する刑法改正につながり、22年7月から「拘留（30日未満）か科料（1万円未満）」の法定刑に「1年以下の懲役・禁錮または30万円以下の罰金」が加わった。

また、ネット中傷の対策として、加害者の発信者を特定する手続きを簡略化するプロバイダー責任制限法が改正され、22年10月から施行された。22年11月にはニュース配信の「ヤフーニュース」のコメント欄に投稿する際に、携帯電話番号を設定することが必須となった。

ニュースのコメント欄で多くの人々によって自由に意見が交わされた結果、英知が結集されてよりすばらしい内容になる、ということがあったかもしれない。しかし、実際に伝わってくる事例としては、木村さんの自殺をはじめとして悲劇が圧倒的に上回る。

男性アイドルを次々に生み出したジャニーズ事務所（現SMILE-UP.）の創業者であるジャニー喜多川さん（故人）からの性被害を訴えている「ジャニーズ性加害問題当事者の会」のメンバーに対しては告発後に、ネット上で「売名」「金目当て」「タレントとして優遇されたのだから今さら文句言うな」「タレントになりそこない」などの投稿が繰り返された。当事者の会の代表の平本淳也さん（57）が２０２３年10月に神奈川県警へ刑事告訴し、当事者の会の発起人の一人で元ジャニーズJr.の二本木顕理さん（40）も同年11月に大阪府警へ被害届を出した。二本木さんは「被害の証言だけでもつらいのに、誹謗中傷を受けると二重苦になる。このままでは声をあげたい人も声をあげづらくなってしまう」と話した。（２０２３年11月４日付朝日新聞）

木村さんのように死に至らないまでも、誰もが発信できるインターネットの交流サイト「SNS」での書き込みによって精神的に大きな打撃を受ける事例は枚挙にいとまがない。心身を鍛えてきた五輪選手でさえ、標的にされると防ぎようがない。

木村さんの自殺の翌年、コラムニストの小田嶋隆さんは激烈に綴っていた。「メディアを邪悪な存在たらしめているのは、わたくしどもメディアの享受者たちだということになる。端的な例としては、Yahoo!ニュースのコメント欄を思い浮かべれば良い。どんなに邪悪で陋劣で卑怯で低品質な記事であっても、あのコメント欄よりひどいということはあり得ない。それほどあのコメント欄はあらゆるタイプの人間の悪意と劣情をあますことなくすくい上げる人類史上最悪のメディアとして機能している」（2021年6月4日、日経ビジネス電子版「自称『ファン』の攻撃性について」）

ネットがユートピアをもたらすという楽観的な見通しが誤っていたのか。それとも、ネットの使い方を途中から間違ってしまったのか。あるいは、未知の人や発言を簡単につなげてしまうネットの本質による必然的な結果だったのか。ネット上で起きる現象を追いながら、「ネット社会」の実像と進んできた道のりをこれから探っていきたい。

原著と翻訳がともに1997年に出版されアメリカのインターネット理論家らによって書かれた『ネティズン』（マイケル・ハウベン、ロンダ・ハウベン著、中央公論社）は、ネットのプラス面に着目した楽観的な見解に基づいた社会観に満ちた記述が並ぶ。新たなる民主的世界が実現できるようになってきていて、計り知れないくらい生活の質が向上したとして、こう説明する。「ザ・ネットは、幸せな新たな暮らしのきっかけを私たちに提供しているのです。以前はほとんど不可能か、もしくは非常に手に入れにくかった社会的結び付きを、ネットワークを通じてわれわれは手に入れることができます。地理や時間の壁はもはや、境界にならないのです。社会的制約や慣習は、もはや潜在的な友情や友好関係を阻止することはできないのです。ネティズン達は、とても遠くにいるネティズンと出会ったり、近くに住んでいても、ネットの存在なくしては出会うこともなかったネティズンと出会っているのです」

「インターネットとユースネットの進歩は直接民主主義を現実化するための力強い力となるための投資です。これらの技術は直接民主主義を遂行するにあたっての障害を克服する機会を私たちに与えているのです」

「新しい通信技術によって、コンピュータとそれを支える基幹施設が整備さえすれば、直接民主主義の遂行が可能となるでしょう。これらの技術を使えば将来的にもっと信頼できる政府が実現するでしょう。将来について議論される時にも、この技術を使って政府に市民が参加することが可能となるのです。それぞれの政府に対する考えや批判は現在も絶え間なくネットワークを通じて行われています」

1996年にジャーナリスト古瀬幸広さんと法政大の廣瀬克哉教授（行政学）が共著で出した『インターネットが変える世界』（岩波新書）も、前向きの見方の記述が目立つ。「新しい情報生活が、人と人との関係を変え、社会を変えていく」ととらえ、「インターネットは、WWWやメーリングリストなどで『情報を自ら発信する』という能動型の情報生活を可能にする。これによって、わくわくするような、つまり共愉的な時間が訪れるのだ。もちろんつねにこうなるとはかぎらないが、人びとを引きつけてやまないのは、マスコミ報道などではわからない等身大の情報であり、自らの経験によって醸成され、身体化された知識である」と説く。

ネット社会の到来を肯定的に評価した代表的著書の一つはコンサルタント梅田望夫さんが2006年に刊行した『ウェブ進化論』(ちくま新書)である。著書を貫く背骨の一つを「不特定多数無限大」というキーワードで表現した。

「不特定多数無限大の参加は『衆愚』になるはずだという考え方」に疑問を投げかけ、「『不特定多数の集約』という新しい『力の芽』の成長を凝視し、その社会的な意味を、私たちは考えていかなければならないのだ」と力説する。「ITやネットは、ありとあらゆる可能性を増幅する存在であり、誰もやっていない新しい世界の存在を探すこともより容易になった。いくらすべての情報が体系化されつつあると言っても、おそろしく層が薄い分野というのが発見できるのも事実である。異質なものを異質なものと組み合わせていけば、『個』にとってはさらに無限の可能性が広がる」とも唱える。「無数の『個』の意見を集約するシステム」が、これからネット上に盛んに作られていく仕組みそのものと強調した。

「インターネット」「チープ革命」「オープンソース革命」という「次の一〇年への三大潮流」

が相乗効果を起こし、そのインパクトがある閾値を超えた結果、ネット世界は発展を始めた、と主張。あとがきでは、「ウェブ進化についての語り口はいろいろあるだろう。でも私は、そこにオプティミズムを貫いてみたかった」と記し、楽観主義の立場を明確にした。「日本における教養ある中間層の厚みとその質の高さは、日本が米国と違って圧倒的に凄いところである。米国は二極化された上側が肉声で語りだすことでブログ空間が引っ張られるのに対して、日本は、オープン・カルチャーが根づき始めている若い世代と、教養ある中間層の参入が、総体としてブログを豊かに潤していくのではないだろうか」と、「日本流」を肯定的にとらえていた。

同時に、「基盤を脅かされる側の新しい現象に対する反応はまちまちである。しかし総じてウェブ社会のネガティブな面ばかりをメディアが取り上げがちなのは、こうした危機意識が形をかえて表出しているという面が少なくない」とも指摘している。さらに、「ウィキペディアは実にわかりやすい場を提供しているのだ。ウィキペディアの存在感が増すに比例し、誹謗中傷や自己宣伝の書き込みをどう防ぐかといった、より深刻な課題もこれから次々と持ち上がってくることだろう。不特定多数を巻き込むオープンさをできる限り保ちつつ、何をどう制限していくかについてギリギリの試行錯誤が今後も長く続いていくものと考えられる」と問題点の認識も示していた。

ただ、インターネットの拡充が現代人の「生」にもたらした変化をテーマに作品として発表してきた作家平野啓一郎さんと対談した『ウェブ人間論』（新潮新書、2006年）でも、梅田さんは楽観的な見方を示している。「あるネット上のコミュニティにおける善意と悪意では、どんなに悪くても五一対四九くらいで善意が勝つ、だから何とかなるんだ、という感覚を実は持っているんです。これは若い世代との交流から学んだことでもあります。ネット上にあるコミュニティができた時に、わざわざそこを壊しに来ようという人って、そんなに多くないんだな。善意や努力の結果を集積しようという強いエネルギーを常にネット上で感じますが、悪意を集積しようという営みは、皆無ではないけれど、それに比べれば弱い気がする」『2ちゃんねる』に行けば、これはもう別の空間で、みんな好き勝手にやっているというのは分かります。それを面白いからって見に行く人がいるのもわかる。でも、ブログの空間というのはまた別で、ある程度悪いことも書かれるけれども、とんでもなく『炎上』していくというのは、ある意味で書き手の責任だって思うことが多いなあ。例外はむろんありますけど」

評論家の立花隆さんも1997年の対談集『インターネットはグローバル・ブレイン』（講談社）で、「私は著作の中で、今後二十年ぐらいの状況について言及していますが、その間、コンピュータは人間にとって最高のツールとして力を発揮するでしょう。教育環境を改善し、社会を変革します」と明るい側面に光を当てている。「いままで消費者が市場において主導権をとれなかったのは、商品の情報が得られなかったからです。しかし、市場が『情報バリアフリー市場』になると、これまで受動的だった消費者が、戦略的な消費者に変わる。（中略）企業がマスメディアを使って大量の商品情報を一方的に消費者に伝え、商品を買わせてきました。

エレクトロニック・コマースにおいては、こうしたマーケティング戦略は通用しなくなるでしょう」とも指摘。「イントラネットの導入で無能な中間管理職はいらなくなり、エレクトロニック・コマースでは中間マージンがどんどん減っていく。市場にも企業にも消費者にも大革命が起こるわけですね」と肯定的な発言が目立っていた。

ジャーナリスト日垣隆さんはこんな指摘をした。「その内容の真偽にかかわらず、少なくとも第一次情報のリアルタイムな巨大宝庫であることにかけて、インターネットに比肩できるメディアは一つとして存在しえない。事ここに至って、専門情報や時々刻々の第一次情報を全ユーザーに徹底開放したことにより、むしろアカデミズムやジャーナリズムから『特権』を剝奪してしまった事実に、僕は注目したいと思う。一言でいえば、僕にとってインターネットとは、しばしば迷惑なメディアの一つであり、ほどほどに役立つメディアの一つである。それ以上でも以下でもない」（月刊誌『論座』1997年12月号）

元毎日新聞記者のフリージャーナリスト佐々木俊尚さんは2008年の著書『ブログ論壇の誕生』（文春新書）で、ネットの特筆すべき特徴として、「決してコントロールされないということ」と「全員がお互いにフラットであるということ」をあげる。この2つの特徴は、これまでのマスメディア空間に決して存在していなかった、と述べている。

「インターネットの世界は、人々がリアルの世界で抱いている考えや情念がそのまま生々しく表出してしまう身も蓋もない世界」と指摘した。「生々しく生を営んでいる人々の心の中には、汚さと美しさ、暖かさと冷たさ、他人に対する愛情と嫉妬といった情念や精神が表裏一体で存在し、それらが不可分である。それと同じようにその情念や精神がダイレクトに表出してしまうネットの空間も、やはり汚いものと美しいものは表裏一体の存在なのだ」と両面性を強調した。

インターネットの世界について、「性悪説だけでとらえてしまうのが誤りであるように、逆に性善説を求めるのも間違っている」と説く。さらに、個人に対する誹謗中傷や荒らしといった「衆愚化」がネット論壇の最大の問題としたうえで、「すべての発言者は平等ではなく、リテラシーの高い人と低い人、情報発信能力の高い人と低い人が存在する」と冷徹な現実を認めている。

佐々木さんは2007年の著書『フラット革命』（講談社）で、「インターネットの本質がようやく露わになったのは、ネットが社会に普及しはじめてから約十年後の二〇〇四年ごろ——つまり『ウェブ2・0』という言葉が使われるようになってからである」と振り返っている。その本質について、「新たなネットの世界は機会損失コストが劇的に下がっている。人と人が出会うのが、ひどく簡単になったからだ」と言い切っている。さらに、「マスメディアにとっての危機は、三つ存在している——匿名言論の登場と、取材の可視化、それにブログ論壇の出現である」とも言及した。

日本のインターネットの父とも呼ばれ慶応義塾大助教授（当時）だった村井純さんは1995年の著書『インターネット』（岩波新書）で、「地球上の人類の一人ひとりが、コミュニケーションを平等な権利を持って、世界中の人間と双方向のコミュニケーションをはかるという可能性を、インターネットは持っている。このことが今後、人間がいろいろな情報や知識の空間をつくり出していくために、たいへん重要な意味を持っているのではないでしょうか」と早々と宣言している。

批評家の宇野常寛さんは2011年の東日本大震災の際、「避難場所や『帰宅難民』の誘導に加え、デマの拡散防止など有志の活動」と「インターネットを舞台とした公共性の醸成に寄与した知的階層としてのクラスタの高いリテラシー」を評価した。インターネットが「日本という『場』によって受容された結果ガラパゴス的な進化を遂げ、良くも悪くも『日本的なもの』を支えるシステムに成長したのだ」とも位置づけた。（2011年3月29日付産経新聞）

米ハーバード大のジョナサン・ジットレイン教授（インターネット法）は2009年の著書『インターネットが死ぬ日』（早川書房、原著は2008年刊）で、「政府や企業のデータベースにおけるプライバシーの問題も重要だが、プライバシー脅威に対する前述の対処方法に収まらない部分におけるプライバシー脅威の問題が大きくなりつつある」という認識を示していたものの、楽天的な考えを捨てていたわけではなかった。「機器のユーザーがインターネットを自分の居場所だと感じられる必要がある。インターネットの生み出す力を活用して、人々にネットを守り、はぐくんでもらえるようにしなければならない」とネットへの信頼を前提にする立場は崩さなかった。

実際、米国の調査会社ピュー・リサーチ・センターが２０１８年４月に発表した、米国におけるインターネットが与えた影響をテーマにした調査報告書でも肯定的な評価が示されている。「社会全体」に対して「よい影響」が70％、「よし悪し双方」が14％、「悪い影響」が14％とそれぞれ回答。「自分自身」については「よい影響」が88％、「よし悪し双方」が５％、「悪い影響」が５％という結果だった。「よい影響」の理由としては、「情報取得を容易にする」62％と「人々のつながりを容易にする」23％が多かった。逆に「悪い影響」の理由では、「人を孤立させる」25％、「フェイクニュースや誤情報」16％、「子供に悪影響」14％、「犯罪に使われる」13％、「個人情報の暴露・漏えい」５％の順だった。（２０１９年2月11日、Ｙａｈｏｏ！ニュース）

日本でもインターネットについて、若年層を中心に肯定的な評価をする調査結果がある。日本経済新聞社が２０１８年10～11月、18歳以上の男女を対象に１６７３件（回収率55・８％）の回答を得た景気や暮らし、政治などに関する郵送世論調査では、18～20歳代の39％が「ネットの発達が社会や世論形成に良い影響を与える」と回答した。逆に60歳以上では「良い影響」は16％どまりで「悪い影響」の23％が上回った。（２０１９年1月21日付日本経済新聞）

半面、個人情報を企業に提供する際に重視する点を尋ねると、「どんな企業にも、なるべく提供したくない」が40％だった。世代別では60歳代が53％で最も高く、18～20歳代は24％とその半数以下だった。全体の27％が「便利なサービスを多少犠牲にしても個人データを使われたくない」と回答。50歳代（31％）や60歳代（37％）の抵抗感が目立った。一方で、「便利になるなら企業にある程度個人データが使われてもいい」と答えたのは全体が7％だったのに対し、18～20歳代が12％だった。（同）

## 2　社会を変えた「分散化した市場」と負の感情のるつぼ

「世の中にインパクトを与える」といわれ登場しながら浮かんでは消えてきたあまたの「ニューメディア」とは異なり、インターネットは「社会を根本的に変える」という当初の評価は揺るがず、実際にそうなった。ただ、さまざまな期待と懸念を抱かれながら、予想が当たった分析と外れた指摘にわかれた。事前の予想の当たり外れを振り返りながら、その理由についても考えていきたい。

1998年に『未来地球からのメール』（集英社、原著は1997年）を刊行した米国のコンサルタントでもあるニュースレターのエスター・ダイソン編集長は「インターネットは、他の便利な道具同様、良いことにも悪いことにも使えます」と冷静な立場から説き起こしている。「インターネットには壁がないのです。壁がないということは、うやむやで終わらせるという昔ながらの手法に頼れないことを意味します。ひとたび個人のプライバシーが侵害されれば、世界中に知れ渡るかも知れません」と危険性をあげる一方で、「インターネットがもたらす最大の衝撃は、力の分散であり、集中排除です。物の流れも、人の流れももはや、関わり合いを求めて中央を頼ろうとはしなくなります」と指摘した。そのうえで、「インターネットは従来型の、大組織が勝つ、という『規模の経済』を追いやると同時に、画一性ではなく多様性を尊ぶため、会社間の力関係にも変化が生じます」「リーダー企業を中心に展開されていく産業モデルは、分散化した新しい市場にその道を譲るでしょう」と、旧来のトップ企業から新興の起業者へと力が移っていく、と主張した。GAFA（グーグル、アップル、フェイスブック、アマゾン）の興隆を予見しているようにも読める。

慶応義塾大教授だった赤木昭夫さんは1996年の著書『インターネット社会論』（岩波書店）で、世界に張りめぐらされたサーバーの網であるワールド・ワイド・ウェブ（WWW）をCERN（ヨーロッパ合同原子核研究機関）のティム・バーナーズ＝リーと仲間が考えて1991年に発表、93年には画像も表示できるソフトウェア「モザイク」がインターネットで無料配布された経緯を説明、ウェブサーバーの爆発的な普及を指摘した。

ウィンドウズ95の発売開始から10年後の2005年10月に「インターネットの光と闇」を特集した雑誌『大航海』（新書館）56号では、ネットの現状分析とともに検証もしている。

女子供文化評論家の荷宮和子さんは、論考「ネットの持つ力の限界」で率直な記述を重ねた。「『無教養な田舎者』ならではの価値観に満ちた書き込みがあふれている」

「2ちゃんねるの書き込みからは、『一億総評論家化』どころか『一億総政府高官化』といった空気が伝わってくる。つまりは、『強きを助け弱きをくじきたい』というのが彼らのメンタリティなのであり、更に言えば彼等は『バレなければ何をしてもいい』とも思っているのである。なればこそ、『今まではバレたら怖いからやらなかったんだけど、バレないんだったら』とばかりに、『強きを助け弱きをくじいている』、それが今時の日本人の姿なのである。そして、そんな現実についてを、最もわかりやすくしめしてくれているのが、2ちゃんねるの書き込みなのである」

「ネットに関連した事件が起きるたびに言われてきた言葉、『ネット内での人間関係は現実社会と同じである』という言い回しは、全くもって正しかった、というわけである」

「〈『身の程知らず』と思えるほどの自負心を抱えて生きる『いやったらしい』男達〉が、互いに互いを癒しあっている場所、それがインターネット内の匿名掲示板であり、ブログなのである」

「結局、ネットというのは、『負』の感情のるつぼにしかなり得ないのだろう。たとえ現実の世界では、『教養のある勝ち組男性』であったとしても、どうしても捨てきれない『負』の感情を吐露することが可能な場、それがネットという世界なのである。いわんや、『負け組男』をや」

同じ特集で、理論社会学者の鈴木謙介さんは精神科医の斎藤環さんとの対話「インターネット・カーニヴァル」において、木村忠正さん（早稲田大）のネットを利用する人の動機に関し、

「情報収集や覗き見こそすれ、社会的ネットワークを広げたり、自分を表現したり、知ってもらう手段としての側面が希薄で、たとえば携帯メールが親しい人たちとの間の親密な心理社会的空間を形成する手段となっているため、インターネットは匿名でのストレス発散の場、うわさ話に耳をそばだてる場と化している」という分析を紹介している。

ネタ的コミュニケーションによる盛り上がりやバッシング、「祭り」が起きるネット上のやり取りについて、斎藤さんは「メディアを疑えという姿勢の煮詰まった部分が2ちゃんねるに反映されていると言えなくもないわけだから、確かにリテラシーだけではどうにもならない」と述べたうえで、次のように発言している。「ぼく個人はあんがい無根拠に楽観していて、情報のやりとりが一定規模の開放系でなされるなら、最終的には常識的な文脈に収束していくだろう、と考えています。単に確率の問題かもしれませんが。ただこのとき、『やりとりの持続性』や『常識』を担保してくれるのが、案外ベタな個人、例えば『アポロは月に行ってないんだ!』と執拗に主張するような人の存在ではないか、とも考えているのですが。つまり、そういう『空気の読めない困った人』の存在は、健全さのために少しは必要なのだ、という結論になりますね」

雑誌『大航海』の特集「インターネットの光と闇」が出された同じ2005年の9月に刊行されたジャーナリスト・ルポライター森健さんは著書『インターネットは「僕ら」を幸せにしたか?』(アスペクト)で、米マサチューセッツ工科大メディアラボのニコラス・ネグロポンテ上級所長が95年の著書『ビーイング・デジタル』（アスキー、原著も1995年）で描いた未来を紹介している。「インターフェース・エージェントがあなたに代わって紙の新聞や電子新聞をすべて読み、世界中のテレビとラジオの放送を受信したうえで、あなたに合わせて要約を作ってくれるようになったらどうだろう。それはたった一部だけ発行される新聞なのだ。（中略）いわばそれは『デイリー・ミー』なのだ」

ただ、米ハーバード大の憲法学者であるキャス・サンスティーン教授が自著『インターネットは民主主義の敵か』（毎日新聞社、2003年、原著は2001年）で「（民主主義的な）自由とは好き嫌いを満たすだけでなく、それなりの条件の下で好き嫌いや信念を確立する機会のことでもある。十分な情報や広範でかつ多様な選択肢を検討した後で、好き嫌いを決める能力のことだ。『デイリー・ミー』の体制の下では、この自由の保証があるとはいえない」と批判した。

サンスティーン教授は2000年に米国の政党や政治的支持基盤に関するリンクの度合いについて調査したことがある。その結果、自分の好きな情報、信じたい情報については積極的に採り入れるものの、嫌いな情報や対立する情報、触れたくない情報についてはきわめて不寛容な態度をとる、ということが示された。特定の集団がつくられ、その中で意見が交わされることで起きる「集団分極化」の現象を指摘し、集団内の議論の行方は対面よりネット上のほうが過激になるとのサンスティーン教授の見方を、森さんは紹介している。

サンスティーン教授は2018年の著書『#リパブリック』（勁草書房、原著は2017年）で、

「ソーシャルメディアは、人々が考えの似た他人の意見で（事実上）自分を取り囲み、対立する意見から自分を隔離することを容易にする。そういう理由だけで、ソーシャルメディアは分極化の温床となり、民主主義にとっても社会の平和にとっても潜在的な危険をはらむ」と、自分の声が増幅するエコーチェンバー（反響室）効果による弊害の懸念を表明した。同時に、「インターネットは考えの似た個人を見つけやすくするので、共通のイデオロギーを持ちながら地理的に分散した非主流の共同体の形成を容易にし、強化することができる」という特質についても指摘している。

森さんは本のエピローグで、ネットワークがつくられていく現場について、「一九九〇年代半ばまでは、いずれも『明るい未来』を感じさせるものだったことは確かだ。昨日よりも今日、今日よりも明日は便利になる。そう思わせる何かがあった。だが、世紀の終わりを迎えようとする一九九九年頃から、そうした情報技術が示す『利便性』の裏側に、ぼんやりとした『違和感』が混じるようになってきた。たとえば、認知症の徘徊老人を探査するタバコ大のGPS端末機。九九年当時、それはシステムだけで五〇〇万円という高価格だった。老人を対象とはしていたが、それがどう応用されるかはその場で思い至った。『値段が下がれば社員に持たせる企業も出てくるでしょうね』。そう開発元の日立製作所の担当者は笑っていたが、実際その予想どおりになった」と述懐している。

インターネットは職場を監視する機能も果たしている。パソコンを使い会社のサーバーを通過する場合、情報流出防止や生産性向上のため、会社は社員のネット利用を記録することができる。一般財団法人労務行政研究所の調査によれば、社員の職場でのネット利用状況をモニタリングしている企業は56・8％。従業員1000人以上の大企業では70・6％に達した。社内における私的利用についての規定を定めているのが78・4％に上る。（2010年3月「企業に情報管理に関するアンケート」）

特に問題視される職場でのパソコン利用は、ネットの「長時間の閲覧」と「株式やFXのオンライン売買」、電子メールでの「部下や同僚へのパワハラ、セクハラ的内容」と「外部の人間への社外秘情報の送信」だ。最近はどのサイトを訪問したかや投稿した文章や写真を解読するツールが出てきた。（2013年6月17日号『日経ビジネス』）

## 3　外れたペーパーレス社会の予測と国民意識の変化のなさ

ネットへの楽観をベースにした予測が大きく外れた例は数多い。

輝かしく予測された「未来」と「現実」とのずれをまず見てみる。

ゼロックス・チーフ・サイエンティストのジョン・シーリー・ブラウンさんと歴史学者のポール・ドゥグッドさんは2002年に刊行された共著『なぜITは社会を変えないのか』（日本経済新聞社、原著は2000年）で記した。

「ビジネスウィーク誌は一九七五年、確信に満ちた論調でペーパーレスオフィスの出現を予言した。この言葉は急速に近づいてくる未来に対する先見性を示す言葉として、あっという間に世の中に浸透した。以来二五年が経過し、通信技術には著しい進歩が見られるものの、このペーパーレスオフィスというゴールは急速に近づいてはいるがいまだに届かないゴールのままという状態だ。このような事態は一九七五年当時には予測できなかった。その一方でオフィスにおける紙の消費量は増加の一途をたどっている。一九七五年、オフィスにおける一人あたりの紙の消費量は一〇〇ポンド（約四五キログラム）以下だったが、現在では二〇〇ポンド以上を消費している」

ビジネスウィーク誌が75年にペーパーレスオフィスの出現を予測した5年後、ある未来学者が「紙のコピーを取るのはそれがどんなものでも原始的だ」と断言した。しかし、80年代にはプリンターやコピー機の動作速度がどんどん上がって寿命が延び、80年代半ばにはファックスが紙をベースとしたオフィス機器の必需品として成長した。この共著書では、「一九三八年、鉛筆は当時ハイテクだったタイプライターによって駆逐されてしまうという記事がニューヨークタイムズ紙に書かれたことがある。この鉛筆と同じように、ファックス、コピー機そして紙のドキュメントは衰退することを拒否している。世の人たちはこれらが役に立つと認めているからだ」と指摘されている。

データジャーナリストのメレディス・ブルサードさんは2019年の著書『AIには何がで

きないか』（作品社、原著は2018年）で「このところわたしは、テクノロジーが世界を救うという言説に首を傾げたい気持ちになっている。大人として生活し始めたころからずっと、耳に入ってくるのは、世界をよりよくするためにテクノロジーはこんなことができるという希望に満ちた話ばかりだ」と述べている。さらに、「わたしと同世代の若き理想主義者たちにとってはまた、自分たちがネット上に作り上げている世界は、既存の世界よりも優秀かつ公正であると信じるのも容易いことだった。1960年代、わたしたちの親世代は、ドロップアウトしたり、コミューンで暮らしたりすることでよりよい世界を作れると考えていた。その親たちが結局はまっとうな生き方をするようになったことも、コミューンは解決策とはほど遠いものだったことも、わたしたちは知っていた」とも。

メディア史を専門とする京都大の佐藤卓己教授も、雑誌『民放』2020年5月号で、ネットが意識に与える影響は少なかった、と喝破している。「私はネット革命の過大な評価には懐疑的だ。その根拠の一つが、2月に刊行されたNHK放送文化研究所編『現代日本人の意識構造［第九版］』（NHKブックス、2020年）である。それは1973年から5年ごとに行われてきた全国調査であり、直近の2018年調査の結果がまとめられている。（中略）この45年間で、日本人の意識の大きな変化は2回、すなわち73年から78年の間と、93年から98年の間で生じている。どちらもネットの本格的普及以前、つまりテレビ時代の変化である。他方、SNS時代に入ってからは大きな国民意識の変化はほとんど確認できない」

「この意識調査では『世代ごとの特徴』も分析されている。興味深いのは、54年生まれ以降の世代、つまり『テレビっ子』世代からは世代間の意識差が小さくなっており、そのため今後の意識変化は縮小することが予測できる」

「重要なことは、『変化意識の減速』や『幸福の高原』状況がネット革命で説明できないことである。それにもかかわらず、メディア論者は『ネットが意識を変える』と語りたがる。もちろん、正しくは『意識がネットを変える』のである」

## 4 同じ価値観に包まれる「フィルターバブル」と「エコーチェンバー」

2004年にメディア歴史博物館のために米国で発表された『EPIC2014』には大胆な予測が盛り込まれた。

2008年、アマゾンとグーグルが合併し「グーグルゾン」が誕生し、アマゾンのもつ購入者情報、消費行動とグーグルのもつユーザーの属性、履歴情報などが把握され、広告の包括的なカスタマイズが行われる▼2014年、グーグルゾンは進化型個人向け情報構築網「EPIC」を公開し、消費行動などのデータをベースにカスタマイズした情報を各ユーザーに提供する。ニューヨーク・タイムズ紙はネットでの配信をやめ、エリート層と高齢者向けに紙媒体の

みを販売することを決めた。（森健『インターネットは「僕ら」を幸せにしたか？』による）

現実にはグーグルゾンは生まれなかったし、ニューヨーク・タイムズ紙はネット配信を精力的に展開し全世代向けの新聞発行を続けている。ちなみに、日本新聞協会の調査によると、2023年10月現在のスポーツ紙を含めた日本の新聞発行部数は2859万486部（朝夕刊セットを1部として計算）。1997年をピークに部数減は続いており、2022年から23年の1年間には225万6145部（7・3％）減り、3000万部を割り込んだ。同じペースで減っていくとすると、12年余り後の36年半ばにもゼロとなる見込みだ。一般紙だけでみると、23年10月現在の部数は2667万4129部で、1年間に202万786部（7・0％）減った。このペースだと13年余り後の37年初頭にゼロとなる見通しとなっている。

関西学院大の稲増一憲教授（社会心理学）は2022年の著書『マスメディアとは何か』（中公新書）で、「インターネットは、一般の人々の情報発信を可能にするツールであり、マスメディアによる情報発信の独占を崩しうる。人々が自由に情報を発信し、世の中に多様な情報が存在するならば、誰かの恣意的な情報選択の基準を押しつけられることもない。誰でも『見たいものを見て』『見たくないものを見ない』ということができるのである。マスメディアではなくインターネットを中心としたメディア環境は、理想的と言えるのではないか。しかし、インターネットの普及は、サイバーユートピアと呼べるようなバラ色の未来をもたらすものでは決してなかった。2000年代以降の現実社会を知っていれば、誰しもわかることである」と指摘している。

稲増教授は『EPIC2014』について、アマゾンとグーグルは合併しておらず、２０２０年代に至ってもニュース記事が自動生成ではなく人間の記者によって書かれていることを踏まえ、「いくつかの点で予測は当たっていない。しかし、この動画が提示する未来が『最良』であり『最悪』であるという指摘、『われわれが望んだもの』であるというメッセージは示唆的である」と言及している。

そして、「この動画が公開された２００４年は、マスメディアとインターネットの対立関係が強調されていた時期であり、巨大な力を持つマスメディアに対してすさまじい勢いで切り込む新興勢力のインターネットという構図は、人々の関心を惹くものであったのだろう。しかし、現代においてその対立構造を過度に強調することは、現実を見誤ることにつながる」「２０００年代の中ごろまでは、ブログや市民メディアがニュース発信者としてマスメディアの地位を脅かすかのような言説も存在したが、継続的にジャーナリストを育成し、ニュースを発信し続ける既存のマスメディア事業者の役割を代替する存在とはなりえなかった。結局、人々のボトムアップによる情報発信のみではメディアは成立せず、ジャーナリストなどによる取材・執筆と専門家によるトップダウンの編集が必要となることは、新しい技術が社会にもたらす変化(もっといえば、新しい技術が作る未来）について楽観的に描く雑誌『ワイアード』（Wired）を創刊したケヴィン・ケリーですら、認めざるをえなかった」と結論づけた。

稲増教授は、インターネット上で人々の行動が蓄積され、このデータをもとに検索エンジンやSNSで個人の選好に沿った情報を提供する「パーソナライゼーション」によって、個人がそれぞれ自身の選好に則った泡に包まれ価値観の異なる個人同士が交わらなくなる「フィルターバブル」の状態が生まれ、自身と同じような意見をもつ他者やその発信による情報に囲まれる「エコーチェンバー」という環境になる、と述べている。さらに、「インターネットの普及がマスメディアの議題設定やフレーミング効果を打ち消すという視点は重要である。まさにこれこそが、マスメディアによるゲートキーピングの独占を打ち破る存在として、人々がインターネットに託した希望だったはずである。しかし、その後の研究は、『人々がインターネットを利用してマスメディアによる独占を打ち破る』という理想とは程遠い現実を明らかにしてきた」「現実のインターネットは、普及当初に想像されたほど民主的なものではなく、しかも、人々がマスメディアの影響を受けることなく自由に行動すればより良い未来が得られるという前提が、どうやら誤りだったようなのだ」と主張する。

さらに、「先有傾向にもとづく選択的接触や集団、対人コミュニケーションの影響は、必ずしも『能動性を持った市民たち』という美しい物語ではない。人々が団結し、理性をもってマスメディアから発せられるメッセージに対抗しているわけではなく、ヒト（ホモ・サピエンス）という生物が持つ特徴によって、偶然マスメディアの影響力が弱められているというだけだろう。選択的接触は、悪く言えば人々がいかに頑迷であるかということである。また、自分と同じ意見を持つ人と集団を形成するということは、自らと異なる立場を排除する不寛容につながる。選択的接触や集団、対人コミュニケーションの影響力それ自体は、善でも悪でもない」と冷めた分析を披露している。

データサイエンティストのS・フラックスマンさんらの研究をもとに、ヤフーニュースなど複数の発信元の記事をまとめるニュースアグリゲーターは「エコーチェンバー的な接触をもっとも抑制するサービスと言えそうである」「エコーチェンバーやフィルターバブルといった、インターネットによって人々の持つ選好が強化される現象は実際に確認できるものの、当初指摘されたほど、その影響は強くないということが言えるであろう」と稲増教授は述べつつ、パーソナライゼーションの二つの弊害を挙げている。一つは個人レベルのものとして、「もともと探していた情報を得るうえでの効率は上がるものの、『探していなかった何か』と偶然出会う機会は限られてしまう」ことであり、もう一つは社会レベルで民主的な議論の前提となる情報の共有が困難になるため、「最悪の場合、敗者の側が暴力に訴えるという悲劇に結びつくことが想定される」という事態だ。

稲増教授は「2010年以降、『インターネットの普及により、マスメディアによるゲートキーピングの独占が崩れ、個人が望む情報が提供される』という言説は鳴りを潜め、選好にもとづく強化が招く問題が指摘されるようになった。これに対応する形で、インターネット事業者は、個人にパーソナライゼーションにもとづく関連性の高い情報を提供するだけでなく、民主主義社会を持続させるうえで必要な情報を個人の選好とは無関係に届けるという責任についても意識するようになってきたのである」と指摘、「インターネットメディアに対しても、質の低い事業者をふるいにかけ、社会的な責任を果たす事業者のみが残存する流れを作っていく必要があるのではないだろうか」と提案している。

## 5 同じ考えの相手と結びつくソーシャルメディア

米ブルッキングス研究所上級研究員のP・W・シンガーさんと米外交問題評議会リサーチフェローのエマーソン・T・ブルッキングさんの共著として2019年にソーシャルメディアの紛争をテーマとして刊行された『「いいね!」戦争』(NHK出版、原著は2018年)では、社会学者マニュエル・カステルさんが1996年に行った「インターネットが印刷、無線、そしてオーディオビデオ媒体の諸様式を単一のシステムに統合したことは、アルファベットの発明に匹敵する影響を約束する」という大胆な予測を伝えている。さらに、ミュージシャンのデヴィッド・ボウイさんが英BBCのインタビューでインターネットの影響力について語った言葉「いい影響も悪い影響も想像がつかない。わくわくすると同時に恐ろしい何かが始まろうとしているんだと思う。メディアというものについてぼくらが持っていた考えを打ち砕くことになるだろう」を紹介した。

同時に、ソーシャルメディアが自分の考えと同じ相手と結びつく現象について、「同じ考えの持ち主が群れると、しだいに狂信的な部族に似てきて、自分たちの思いどおりのエコーチェンバー（残響室）に閉じこもる。それは人間の性なのだ」と同書では指摘し、「この現象は『ホモフィリー（同類性）』と呼ばれ、『同類を好む傾向』を意味する。同類性は人間が社会的な生き物である所以であり、同じ考えを持つ人びとが大きな集団を作ることを可能にする。文明と文化の発展も同類性で説明できる。インターネット上の虚偽が、広がりだしたらめったに止められない理由でもある」と説明する。同時に、テロリズムや過激主義、偽情報にソーシャルメディアが翻弄されながら、「厄介で容赦ない政治問題化の過程で、シリコンバレーの誰もが一貫して守り抜いたルールがあった。最終損益を優先するということだ」と皮肉っている。

現状について、同書は描いている。「インターネットの楽天的な考案者と最も熱烈な支持者たちにとっては耐えがたい状況だ。彼らはインターネットが平和と理解をもたらし得ると確信していた。『以前は、誰もが自由に発言し、情報や考えを交換できたら、世界は自然によりよい場所になるはずだと思っていた』と、ツイッターの共同創業者エヴァン・ウィリアムズは打ち明けている。『それは私の思い違いだった』」

ただ絶望するだけでなく、「情報リテラシー教育はもはや教育上のものだけではなく、国家安全保障上の急務になっている。実際、いかに早くから子どもたちの思考パターンが発達し、オンラインプラットフォームを使い始めるかを考えれば、一刻も早く情報リテラシー教育に取りかかるべきだ」と提言している。

ウクライナ出身の英国人ジャーナリスト、ピーター・ポメランツェフさんが2020年に刊行した著書『嘘と拡散の世紀』（原書房、原著は2019年）で、ヴェネツィア大のウォルター・クアトロチョッキさんが「偽情報時代の感情力学」と名づけた、フェイスブックのさまざまなグループに4年間に寄せられた5400万件のコメント分析についてまとめられた2015年の研究が紹介されている。その結果は、フェイスブックのグループ内で議論が長引けば長引くほどコメントが過激になり、「エコーチェンバーの認知パターンは両極化に向かう傾向がある」というものだった。「いいね！」やリツイートによってもたらされる感情の高揚を求めてネットにアクセスするため、人はより多くの注目を集めようとして、より過激な立場を取るようになる。その際、記事が正確かどうか、ましてや公平かどうかなどはまったく問題にならず、似たような考え方の人たちからできるだけ注目を集めるためより過激な行動を促すようになる。「フェイクニュース」は、ソーシャルメディアの設計方法の現れと結論づけた。

ポメランツェフさんは、権力者が事実をもはやおそれない世界の到来を描いている。ロシアのプーチン大統領は彼の軍隊が2014年にウクライナの領土だったクリミアを併合するあいだ、「クリミア半島にロシアの兵士はいません」と断言していたが、後日、ロシア軍がクリミア半島に展開していたことを認め、以前はいないと言っていた兵士たちに堂々と勲章を授けた。また、ポリティファクトという米国の事実検証機関によれば、2016年の大統領選でトランプ候補の発言をチェックしたところ、トランプ候補の発言の76%が「ほぼ嘘」か「真っ赤な嘘」だった。対立候補ではそれらの割合は27%だったが、勝利したのはトランプ候補だった。

高知県の女子高校生がネットの仮想世界に参加し歌姫として魅了する立場になるストーリーのアニメ映画『竜とそばかすの姫』を2021年に公開した細田守監督は、ネットによって日常や経済、自由主義が変化したのは間違いないと認識する半面、誹謗中傷やフェイクニュースといった否定面を思い浮かべる。細田監督は「ネットの知識なくして生きていけないほどの現実がある。デジタル機器に囲まれて生まれ育った子どもたちは、思春期になればスマホを持ち、SNS（交流サイト）を始める。ネットの陰口で傷つくことを避けられないのであれば、せめて応援しエールを送りたい。ネットを遠ざけることだけが解決方法ではない、と思いながら映画を作った」と明かしている。（2021年8月16日付日本経済新聞）

東日本大震災でネットのありようを高く評価した評論家の宇野常寛さんは、それから9年後に否定的な側面の浮上を主張した。

「かつて『Web2・0』という言葉が流行語となっていた頃、インターネットは人間に発信能力を与えることで総体的には賢くする、と考えられていた。前世紀まで、人類は一部の専門家を除いて情報を受信するだけの存在だった。しかしこれから人間は情報を受信するだけでなく発信するようになることによってより深く、慎重に、多角的に吟味するようになるはずだと。しかし実際に起こったことはどうだろうか？　少なくとも今日のSNSにおいては、多くの人間が発信する能力を手に入れることによってより安易に、愚かになっている。多くの人はタイムラインに流れてきた情報の内容ではなく、潮目を読んで発信している。これはみんなで石を投げている、批判してよい案件なのかそうでないのかをまず気にしている。そしてこれは叩いて良いことなのだと判断したとき、彼／彼女は自分も石を投げることで自分は『まとも』な側だと安心する」（2020年1月1日付京都新聞）

日本経済新聞政治部次長だった桃井裕理さんも、次のように予見されていた未来の暗転を指摘した。「ネットは創生期からずっと、人類社会を再定義する『思想』の側面を強く持っていた。だからこそ反権力やリベラルの気質が強い米国西海岸の空気にはまり、シリコンバレーの住人は個人の時代をもたらすネットにユートピアを夢みた。だが実現した世界は完全に逆行した。個人情報は巨大IT企業に吸い上げられ人は行動や考え方まで左右されている。中国は個人情報を収集する統治システムを輸出し民主主義を危うくしている。ネットは現実世界を反映したにとどまらずかつてないほど強い中央集権型社会を生み出した」（2020年3月22日付日本経済新聞「風見鶏」）

日本のネットワークコミュニティの歴史を細かく振り返った佐々木裕一・東京経済大教授（デジタルメディア論）の2018年の著書『ソーシャルメディア四半世紀』（日本経済新聞出版社）では、2012年以降に進んだスマホでのLINEやYouTubeなどアプリの寡占化と並行して起こった「投稿の大衆化」によって理性的なクチコミの減少を危惧する1999年開設の化粧品・美容サイト「@cosme」運営責任者、山田メユミさんのコメントを紹介している。「新聞社サイトにさえもユーザーがコメントできるようになり、ユーザーコンテンツがどこにでもある環境は誰もがかつてより気軽に投稿することを許容しました。@cosme のクチコミにも質的な変化が起き、断片的なものや感情的なものが増え、ネガティブなものを感情的に書く人も増えました」。

ユーザーコンテンツの投稿が経済的対価を動機とするものとそうでないものとの差異について、2004年旅行サイト「フォートラベル」の担当者は、次のように述べている。「フォートラベルポイント導入時にJAL、後にANAと提携して、投稿によって得られるポイントを両社のマイレージと交換できるようにしました。すると『100字以上、写真1枚以上、3年以上前の旅行はダメ』という条件を設けたせいもあってか、旅慣れた人、経済的余裕のある人たちによる良質な投稿が集まり、投稿量も増加して成功した。ところがその後、楽天ポイント、PONTAなどまで提携範囲を広げると、明らかに質の劣るレビューが書かれるようになってしまいました」。日銭を稼ぐ感覚を書き手に持たれると、コンテンツの質が低下するということだ。佐々木教授は「2010年に『メディアとしての衰退前夜』としているのはそのような意味においてであり、2015年にユーザーサイトはメディアとしての衰退時期にさしかかっていたというのが筆者の見解である」と立場を明快にし、「ユーザーにコンテンツ投稿を委ねることに厳しい認識を持つ」と言い切っている。

ハーバード・ビジネススクールのショシャナ・ズボフ名誉教授は２０２１年の著書『監視資本主義』（東洋経済新報社、原著は２０１９年）で断言している。「デジタルの王国は、わたしたちがそれについて熟考し決定する機会を持たないうちに、あらゆるものに、それらを再定義しようとしている。わたしたちはネットワーク化された世界を、人間の能力と未来を豊かにするものとして称賛するが、実のところそれは、不安や危険や暴力に満ちたまったく新しい領域をもたらした。その陰で、予測可能な未来という感覚は密やかに消えていった」

ズボフ名誉教授は、個人情報や知識やアプリケーションを強奪するマーケットベンチャーによる貪欲な商業プロジェクトを「監視資本主義」と名づけ、デジタルの夢が暗黒化した、と宣告した。

「監視資本主義は、初期のデジタルの夢とは逆の方向に進み、アウェア・ホームを古代の歴史に追いやった。それどころか、ネットワーク化にはある種の道徳が伴うという幻想さえ打ち砕いた。つまり、『接続されている』ことは本質的に社会的で、包括的で、当然ながら知識の民主化に向かう、という思い込みを、否定したのだ。デジタル接続は、今では他者の商業目的をかなえる手段になった」

そして、暗い将来を予言する。「監視資本主義は21世紀の個人に、本来選択する必要のない、根本的に違法な選択を押しつける。規格化された個人は、鎖につながれたまま歌い続けるしかない。監視資本主義は、前例のない知識と力の非対称を通して機能する。監視資本主義はわたしたちについてあらゆることを知っているが、その操作は、わたしたちに知られないように設計されている」と。さらに、「監視資本主義は、市場資本主義の歴史から驚くべき乖離を成し遂げ、無限の自由と完全な知識を要求し、資本主義が築いた人と社会の互恵的な関係を破壊した。そして、人々に集団主義的ビジョンを押しつけ、監視資本主義者および、監視と管理の責任を担うデータの聖職者への協力を強いている。監視資本主義とそれが急速に強化する道具主義の力は、従来の資本家が抱いた野望を超越し、従来の私企業や市場が支配した領域をはるかに超える」と結論づけた。

ポーランド生まれの社会学者ジグムント・バウマンさんとスコットランド出身で監視社会研究の第一人者デイヴィッド・ライアンさんが２０１３年に刊行された共著『私たちが、すすんで監視し、監視される、この世界について』（青土社、原著は２０１２年）でこう記している。

「ことによると、インターネットは、政府が達成できなかった変化を起こすのではないでしょうか？　ひょっとして、よりよい監視装置が、長年の説教や倫理コードによっては果たせなかったことを達成するのではないでしょうか？　私たちは希望を希望している状態です――よりよい基礎に立った、もっと希望の持てる希望を……。膨大な数の男女を公共の場に召還するデジタルなものが持つ力を借りて、私たちは懸命に、現在の異常なものや無意味なものを用済みにする新たな体制を構築するという約束を検証しようとしています。私たちが希望を持ち続けるかぎり、それは正しいことであり、私たちの精神衛生のために非常に歓迎すべきことです」

# 第Ⅱ章

# 犯罪、誹謗中傷に利用される現実

## 1　サイトで知り合って起きた自殺や事件

ネットが社会や政治に与える影響について調査データをもとに検証した著書として、大阪大の辻大介・准教授が編著者となり2021年に刊行された『ネット社会と民主主義』（有斐閣）がある。一般的に語られる言説と異なる結論が少なくない。

東京経済大の北村智教授は、安倍政権に対する肯定的意見によく接触する人は、否定的意見にもよく接触をしており、肯定的意見に接触しない人は否定的意見にも同じように接触していないのが全体的な傾向と分析結果から報告している。いわゆる「フィルターバブル」の仮説に疑問を投げかけた形だ。北村教授は調査結果をもとに、「安倍政権に対して支持的ではない人びとであれば、テレビニュースをよく見る人ほど安倍政権に対する肯定的意見・否定的意見のどちらにもよく接触していたということである」とも伝えている。

東京大の河井大介・特任助教は、SNS利用やネットニュース接触と寛容性の調査をもとに、「一般的にネット利用が世論を分極化するとしても、同時に寛容性が涵養されるのであれば、それは分断ということではない。むしろ、ネット利用によって、自分自身の意見をはっきりともつと同時に、それと異なる意見をもつ人との対話が促されるのであれば、それは健全な民主主義といえそうである。しかしこれらの分析では、インターネットの利用が人を寛容にしているのか、寛容な人がインターネットを利用しているのか明確ではない」と留保を示した。

また、関西学院大の鈴木謙介准教授も「総じて、人びとが自分の好むインターネットの情報しか見なくなって、それ以外のことに無関心になっていることを示す材料はない。すなわち、党派的なメディアやインターネットに個人の先有傾向を強化する効果が認められたとしても、それは人びとの行動に影響を与える唯一の要因ではないし、その効果だけを単純に合成しても、社会の分極化が生じるとはかぎらない」と指摘する。そのうえで、「従来の社会心理学を中心とした研究では『インターネットによって世論が分極化する』ことを一貫した論理で示せているとはいえない。その原因は『インターネットによって世論が分極化する』という現象の理論的把握が不十分で、ミクロとマクロのリンクを適切にモデル化できていないことにある。不完全なモデルにもとづく実証研究もまた、結果的に不完全なものになる」と説明している。

その中で、大阪大の三浦麻子教授の考察は踏み込んでいる。「ネット上の信頼がSNS利用を促す効果はその逆の効果と比べるとごく弱い。つまり、SNS利用が信頼を醸成し、またその信頼を基盤としてSNS利用が活発となり、といったポジティブなサイクルが期待できるわけではない。個人においてそのサイクルが確立されるためには、SNSを賢く使う、つまり、信頼を裏切らないような場を自らの努力によってつくり出し、維持する必要がある。その手がかりを提供できる社会こそが、より豊かな民主主義社会なのではないだろうか」

コミュニケーションのあり方を大きく変えたネットは、その礼賛と批判の振れ幅もまた小さいものではなかった。その中で、冷静な視点もあった。

ニュースレターのエスター・ダイソン編集長は「インターネットは、善悪にかかわらず、中央権力を徐々に蝕んでいくのです。そしてその一方で、良くも悪くも、力を結集させていきます。言葉を換えていえば、インターネットはプロパガンダには向きませんが、市民が共謀するには完璧な道具なのです」(『未来地球からのメール』)と分析した。

慶応義塾大の村井純さんは、メディアとしてインターネットのインパクトの大きさが認識されたきっかけは1994年2月のリレハンメル冬季五輪だったという。「あるコンピュータ会社がスポンサーになって、全競技・全選手の記録をインターネット上で流したのです。それから、可能なものについては、短い映像も見ることができるようにしました。すると、毎日何万人もの人びとからアクセスがあって、関係者はたいへん驚きました」(『インターネット』)と指摘している。インターネットによる宣伝効果の大きさ、コスト・パフォーマンスのよさが明らかになり、「インターネットの商業価値に、ビジネス世界が気づいた一大事件だった」(同)と位置づけた。

別の側面の価値に気づく人たちもいた。ジャーナリストの渋井哲也さんは2019年の著書『ルポ平成ネット犯罪』(ちくま新書)で、「ウィンドウズ95の登場の頃から、『出会い系サイト』が増えたと言われる」「ツーカーグループが、EZwebサービスを開始したのは、iモードよりやや遅い平成11年(1999年)11月。携帯端末によるネット接続の普及によって、パソコンがなくても出会い系サイトにアクセスできるようになったことで、恋人や友人のほか、性的な目的の相手など匿名の他者との出会いが広がっていった」と伝えた。

「初体験がネットで出会った相手というのも一般的になりつつある」として、相模ゴム工業が２０１８年に「ニッポンのセックス」をテーマに実施した調査（対象1万４１００人）の結果を紹介している。「20代の男女がインターネットで初体験の相手と知り合うことは珍しくない。20代女性の14・7％（ＳＮＳ11・2％、ソーシャルゲームなど0・6％、出会い系サイトなど2・9％）、20代男性の10・6％（ＳＮＳ7・3％、ソーシャルゲームなど0・5％、出会い系サイトなど2・8％）に及ぶ。これがたとえば5年前だと女性は9・6％だったから、明らかにネットをきっかけにした出会い、交際、性体験は増えている」

渋井さんは出会い系サイトが普及していく中で関連して増加傾向となった事件について報告している。

１９９８年に掲示板「ドクター・キリコの診察室」で相談に乗っていたドクター・キリコこと草壁竜次（ハンドルネーム）が販売した青酸カリの入ったカプセルを購入した千葉県の大学生が服毒自殺、警察から連絡を受けた草壁も自ら命を絶った▽２００７年に青森県八戸市であったホテル火災で遺体として見つかった女子高生は、殺人容疑で逮捕された無職の30歳の男性と携帯電話専用のＳＮＳ「モバゲータウン」で知り合った▽２０１３年に東京都三鷹市で殺害された女子高生は、フェイスブックを通じて知り合い交際した関西在住の21歳の男性と別れたあと連絡を絶ったものの、自宅に侵入されナイフで刺殺された。さらに「リベンジポルノ」の映像をネット上に流された。

社会心理学者の川上善郎さんは2004年の著書『おしゃべりで世界が変わる』（北大路書房）で、2002年にネット上で知り合った東京都練馬区の無職男性（32）と大阪市の会社員女性（32）が練炭で自殺した事件を皮切りに、ネット自殺が相次いだことが注目された理由について考察している。「インターネットが登場する以前には、見知らぬ人に『自殺したい』と口に出すことはありえないでしょうし、そのような人どうしが出会うという確率は限りなくゼロに近いといえるでしょう。自殺したいと表明し、自殺を表明した人どうしが確実に出会うことができるのは、インターネットというコミュニケーションの道具が生まれたからなのです」

動画投稿サイト「ユーチューブ」で著名人らを繰り返し脅迫したとして、2023年6月に暴力行為等処罰法違反（常習的脅迫）の容疑で警視庁に逮捕された前参議院議員のガーシー（本名・東谷義和）容疑者（51）は、「暴露系ユーチューバー」として22年2月から活動し始めて知名度を上げ、22年7月の参院選比例区でNHK党から立候補し初当選した。逮捕容疑は、ユーチューブで俳優、実業家、デザイナーの3人に対し本人や親族の名誉を傷つけることをほのめかし、脅迫したこととされており、ネット上の発言と直結している。ネットの影響力とともに動画投稿サイトによって、広告収入をあげた運営会社から約1億円、動画を編集して再投稿する「切り抜き動画」で数千万円の分配金をそれぞれ得ていたといわれる収益力にも注目が集まった。ガーシー容疑者は起訴されたうえ、証人等脅迫容疑で再逮捕された。2月に俳優やデザイナーをSNS動画で脅迫したり、威迫したりした疑いがある。ガーシー被告は24年2月の公判で、検察側から「ネット上での誹謗中傷をエンターテインメント化する風潮を作った」として懲役4年を求刑された。3月14日に東京地裁であった判決では懲役3年、執行猶予5年を言い渡された。

23年11月には、「パパ活やってるでしょ」と女性を勝手に撮影したり、覚醒剤の所持をそそのかしたりしたとして、動画を投稿した男が相次いで警視庁に名誉毀損の疑いと覚醒剤取締法違反（所持）容疑でそれぞれ逮捕された。広告収入を目的にユーチューブ上などで注目を集める「私人逮捕系」と呼ばれる動画投稿者は、一般の人を不審者や容疑者と決めつけて追跡するなど過激なふるまいが目立っていた。

犯罪請負の情報がやり取りされる「闇サイト」で命が奪われる例も、後を断たない。

２００７年8月に名古屋市千種区で会社員磯谷利恵さん（当時31）が帰宅途中、面識のない男3人に拉致され、殺された。3人のうち1人が闇サイト「闇の職業安定所」で犯罪仲間を募った末、犯行に及んだ。一審の名古屋地裁の裁判長は「インターネットで知り合った犯罪者集団による極めて悪質性の高い犯行で、凶悪化、巧妙化しやすく、危険。模倣される恐れも高く、社会の安全にとって重大な脅威」と述べた（２００9年3月18日付朝日新聞）。強盗殺人などの罪に問われた3人は、死刑1人、無期懲役2人の判決が確定した。

ネットで強盗を指示されたうえ犯行に及ぶ事件が多発するようにもなった。２０２３年１月にあった東京都渋谷区の貴金属店の窃盗事件で逮捕された３人のうち１人が「インスタグラムの闇サイトに応募した。指示役からダイレクトメッセージで指示があった」と供述した（２０２３年１月21日付朝日新聞）。関東地方では１月以降、室内を物色する強盗事件が相次ぎ、１月19日には東京都狛江市で90歳の女性が両手首を縛られ殺されているのが見つかった。警察庁は同一グループの関与が疑われる事件が14都府県で発生、ＳＮＳの「闇バイト」の募集に応じた実行役がメンバーを入れ替えながら、強盗などを繰り返しているとみている（２０２３年１月27日付読売新聞）。

広域強盗事件をめぐり、警視庁は２月７〜９日、フィリピンの入管施設で拘束され日本に強制送還された４人を別の特殊詐欺事件の窃盗容疑で逮捕した。４人は強盗事件の指示役の可能性が指摘されていた。京都市の腕時計店で22年５月に起きた強盗事件で逮捕された男の「フィリピンのルフィから強盗の指示を受けた」とする供述や約１００万円の送金先の口座から、４人のうちの１人である今村磨人容疑者が「ルフィ」と同一人物と確認され、23年６月29日に強盗容疑で逮捕された。８月22日には警視庁が１月に東京都足立区で起きた強盗事件を指示したとして、フィリピンを拠点とした特殊詐欺グループトップの渡辺優樹容疑者（39）ら４人を強盗予備容疑などで再逮捕した。12月５日には渡辺容疑者ら特殊詐欺グループ幹部４人を強盗致傷と住居侵入の疑いで再逮捕し、このグループが指示した疑いと警視庁が見る狛江など８件のすべてが立件された。

高齢者を狙う特殊詐欺や強盗事件の続発を受け、政府は3月17日、全閣僚が出席した犯罪対策閣僚会議を開き、ＡＩ（人工知能）を活用したＳＮＳ上の自動検索を新年度にも始め、「闇バイト」募集の投稿の削除要請をＳＮＳ事業者を対象に進めるなどの緊急対策を決めた。

２０２３年上半期（１～６月）に全国の警察が認知した特殊詐欺の被害は９４６４件で、前年同期より25・９％、被害額も26・８％増の約１９３億円に達したことが警察庁のまとめでわかった。大きく増えた22年下半期より件数、被害額とも下回ったが、ＳＮＳを通じ実行役を募る手口が横行しているとして、インターネット上で監視している違法、有害な情報の対象に「闇バイト」の募集情報も加える方針を警察庁は明らかにした。（２０２３年８月２日付朝日新聞）

## 2 「集合知」ではなくて「集合愚」

クラウドファンディングを運営するCAMPFIRE（キャンプファイヤー）の家入一真社長は２０１７年7月にあった東京で開かれたＮＴＴ西日本の催しで、ゲストスピーカーの一人として、「インターネットがある種理想としていた『みんながつながって、みんながハッピーな世界』というものがどうも幻想だったらしい、ということが今僕らが直面している現実」（Startup Factory2017）と指摘した。

続けてこうも発言した。「『国を超えて、肌の色を超えて、言語を超えて、みんな仲良くなれるじゃんと思ったら意外にそうでもなかったよね』というのは、今のTwitterを見ていてもそうじゃないですか。『だったら、もういっそのこと気の合う仲間とか、なにかしらの属性で小さなコミュニティを作っていったほうがいいんじゃないの？』というのが今の流れなのかなと。インターネット空間自体はたぶん、どんどん広がっていくんでしょうけど、一方で人を中心とした経済圏やコミュニティというものは、たぶんどんどん小さくなっていくんだろうなと思っています」。地球規模のグローバル指向から小さなコミュニティへの回帰を予想するのだった。

批評家の東浩紀さんは２００８年、ネットの特質についてこう発言した。「インターネットは、いままで発言する機会がなかった人たちにも大量に発言する機会を与えた。また、いままでみえなかった小さな格差や差異を大量にみえるようにした。そのことによっていいことも起こるけど、悪いこともやっぱりたくさん起きるんですね。その一つの結集が、小さな実感に基づいたルサンチマンのネットワークだと思います」（大塚英志・東浩紀『リアルのゆくえ』、講談社現代新書）

家入さんや東さんよりもネットとその利用者の欠点について直截に表現するのは編集者・PRプランナーの中川淳一郎さんだ。２００９年の著書『ウェブはバカと暇人のもの』（光文社新書）で言い切った。

「悲しい話だが、ネットに接する人は、ネットユーザーを完全なる『善』と捉えないほうがいい。集合知のすばらしさがネットの特徴として語られているが、せっせとネットに書き込みをする人々のなかには凡庸な人も多数含まれる。というか、そちらのほうが多いため、『集合愚』のほうが私にはしっくりくるし、インターネットというツールを手に入れたことによって、人間の能力が突然変異のごとく向上し、すばらしいアイディアを生み出すと考えるのはあまりに早計ではないか？」

ネットにヘビーに書き込む人の像についても推定する。「揚げ足取りが大好きで、怒りっぽく、自分と関係ないくせに妙に品行方正で、クレーマー気質、思考停止の脊髄反応ばかりで、異論を認めたがらない……と、実にさまざまな特徴があるが、決定的な特徴は『暇人である』ということだ。書き込み内容や時刻から類推するに、無職やニート、フリーター、学生、専業主婦が多いと推測できる」

ブログやSNSの内容についても容赦ない。「圧倒的に多いのは、昼ごはんに何を食べただの、ネイルサロンに行っただの、観たテレビ番組の感想だったり、総理大臣への文句だったりする。そのブログを書いている人の知り合いにとっては、その人の近況を知ることができていいかもしれないが、見知らぬ他人にとっては正直、知っていても知らなくてもどうでもいい情報だらけだ」

中川さんは「ネットで叩かれやすい10項目」を列挙している。①上からものを言う、主張が見える②頑張っている人をおちょくる、特定個人をバカにする③既存マスコミが過熱報道していることに便乗する④書き手の「顔」が見える⑤反日的な発言をする⑥誰かの手間をかけることをやる⑦社会的コンセンサスなしに叩く⑧強い調子のことばを使う⑨誰かが好きなものを批判・酷評する⑩部外者が勝手に何かを言う。

ネットと深く関わることで、耳あたりのいい言葉の空疎さにも切り込んでいく。「2006年から2007年にかけては、Web2・0とやらがネット界では流行っており、『双方向』であることがニュースサイトにも求められる風潮があった。質問されたら返事をするのがマナーであり義務だと思っていたし、そうすることによってロイヤルカスタマー（自社製品・サービスを愛してくれる顧客）を獲得できると思っていた。しかし、とある瞬間を境に、私はWeb2・0というものが、少なくとも頭の良い人ではなく、普通の人を相手にしている場合は、たいして意味がないことを知ることになる」

また、ネットでウケるネタとして、2年半のネットニュース記事編集経験をもとに9項目を掲げる。①話題にしたい部分があるもの、突っ込みどころがあるもの②身近であるもの（含む、B級感があるもの）③非常に意見が鋭いもの④テレビで一度紹介されているもの、テレビで人気があるもの、ヤフートピックスが選ぶもの⑤モラルを問うもの⑥芸能人関係のもの⑦エロ⑧美人⑨時事性があるもの。

ネットが他の追随を許さないほど便利な分野としては、「予約」「検索」「価格比較」「空席確認」「地図」「路線検索」「クーポン取得」「とある分野に詳しい人の発見」「通販」を挙げる。

情報収集や情報伝達の効率的な道具として評価する一方、ネットで可能なものは時間をかければ電話など別のものでだいたいは代替できる、と指摘する。「インターネットがあろうがなかろうが、人間は何も変わっていないのである」とは、中川氏の見解だ。

中川さんがネット上の「炎上」案件を集めて分析し、2021年に刊行したのが『炎上するバカさせるバカ』(小学館)だ。

高知県のコンビニのアイスクリームケースの中で若い男性が寝る写真をツイッターに投稿し、「バカッター」第1号とされたのが2013年。この写真に「不潔だ」と批判が殺到し、男性の父親は経営するコンビニのフランチャイズ契約を解除されたという。このほか、米屋の精米機、ソバ屋の食洗機、ステーキハウスの冷蔵庫にそれぞれ入ったり、ハンバーガー店で大量のバンズの上で寝たり、ラーメン屋の厨房でソーセージをくわえたりといった様子を撮影し、SNSに投稿するアルバイトが相次ぎ、「バイトテロ」とも呼ばれるようになった。2010年代後半以降も同様の騒動が巻き起こった。

19年5月には、ごみ箱に捨てたハマチの切り身をまな板に戻す様子をスマホで動画撮影しSNSに投稿したとして、無添くら寿司守口店(大阪府守口市)の元アルバイトの17～19歳の少年3人が偽計業務妨害の疑いで大阪府警から書類送検された。

客が店で撮影し投稿する迷惑動画も、引きも切らない。

店内での迷惑行為のSNS拡散に対し、大手回転ずしチェーンの「スシロー」と「はま寿司」の運営会社が警察に被害届を2023年1月に出した。スシロー岐阜正木店（岐阜市）で客とみられる男性が備え付けのしょうゆボトルや湯飲みをなめたり、指に唾液をつけてレーンを流れるすしに塗り付けたりする様子が映された。

回転ずしのレーンに一度取ったすしの皿を再び戻す動画やレーンを流れるすしに勝手にわさびをのせるような様子の動画も拡散された。「スシロー」の運営会社「あきんどスシロー」（大阪府吹田市）は2023年1月31日に被害届を出し、2月1日、民事、刑事の両面から厳正に対処することを表明した。3月8日には、愛知県警が回転ずしチェーン「くら寿司」名古屋栄店で、しょうゆ差しの注ぎ口をくわえるなどした動画をSNSに投稿した無職の男（21）と少年（19）、少女（自称15）の3人を威力業務妨害の容疑で逮捕した、と発表した。あきんどスシローは3月、動画拡散で株価下落などの損害を受けたとして、約6700万円の損害賠償を求めて大阪地裁に提訴した。男は起訴され、23年10月、名古屋地裁で懲役3年、執行猶予5年の有罪判決を受けた。

スシローでの迷惑動画の背景については、日経ビジネス電子版が分析した。「ある小売り関連事業者のトップは『こうした悪ふざけは昔から行われてきた』と語る。以前であれば、子どもによるいたずらは店員に大目玉を食らうか、あるいは見過ごされて終わったかもしれない、だが今日、承認欲求の暴走か、はたまた『内輪ウケ』狙いなのか、行為者のグループが〝悪ふざけ〟の様子をSNSに投稿するケースが増えている。SNS時代には別の悪意もはびこる。

インターネットで影響力の強い投稿者が動画を見つけて転載し、内々の悪ふざけを社会に暴露するのだ。『ペロペロ事件』の場合、顔をぼかすなどの処理を施すことなく、数々の人気アカウントが『悲報』などと銘打ち動画を投稿。結果、炎上した」（2023年3月22日、「スシロー『ペロペロ事件』が映し出すSNSで反転する正義感」）

中川さんはネット炎上のパターンとして、①テレビが火をつける②ネットニュースが関連したネタやネットの声を紹介して追随③ネットの人々が話題を大規模に燃やす④「批判殺到」などのネタをテレビやネットニュースが再び報じる⑤関連した話題が取り上げられるとネットがその話題について再び燃やす、という流れを指摘する。

嫉妬の感情が炎上を引き起こす例としてあげるのは、2019年に東京・池袋で自動車を暴走させ母子を事故死させた87歳の元通産官僚だ。本人も負傷して病院に搬送され逮捕されなかったが、翌日に神戸市であった死傷事故ではバス運転手が逮捕された。元官僚は「上級国民」だから逮捕されないという言説が、ネット上で沸騰した。

インターネットの画期性は「アンチも客になる」ことにある、と中川さんは主張する。ファンだけでなく、アンチが「叩く材料探し」のためにサイトを訪問することで、ページビューが上がり、収入に直結させている芸能人のブログの存在を指摘している。

炎上の歴史を振り返った中川さんの結論は「宣伝材料がない人間はネットで情報発信などすべきではないな」ということだった。

## 3　拡大し絶えることのない非難の書き込み

インターネット上での誹謗中傷の書き込みは、以前からあった。

2008年1月に開設されたお笑いタレントのスマイリーキクチさんの公式ブログに「人殺し」などと書き連ねていた男4人が名誉毀損容疑で、男女2人が脅迫の疑いで、09年3月27日に警視庁からそれぞれ書類送検された。東京都足立区で1989年に数人の少年が女子高生を監禁して暴行を繰り返し、遺体をコンクリート詰めして遺棄した事件の「犯人」がキクチさんというネット上の間違った書き込みを信じるなどして中傷していた。

06年10月には評論家の池内ひろ美さんのブログの記述に対し、ネット掲示板などに中傷が相次ぎ、「血の海になります」などと書き込んで講座を中止に追い込んだとして、07年12月に脅迫などの罪で会社員が有罪判決を受けた。警察庁によると、07年のネット上の名誉毀損は79件、脅迫は59件と、検挙が年々増えてきた。

キクチさんや池内さんのケースのように立件されなくても、ネット上の中傷などは相次いで発生していた。06年8月にスキーモーグルの上村愛子さんがプロボクサーの亀田興毅選手の試合を観戦して「感動した」などと書くと、2日分の日記に計4000件を超えるコメントが殺到。07年6、10月にはプロゴルファーの上田桃子選手に対し、試合後の態度への批判がブログに集中、テレビ番組で他のスポーツに言及した内容が反発を受けるなどして、ブログを休止した。08年8月、柔道の鈴木桂治選手が北京五輪で敗退した直後、ブログに「練習していないで遊んでいるから」など中傷する書き込みが相次ぎ、管理者が削除に追われた。（2009年2月6日付朝日新聞）

17年7月には俳優の西田敏行さんを中傷する記事をインターネットのブログなどに掲載し、所属事務所の業務を妨害したとして、偽計業務妨害容疑で40～60代の男女3人が警視庁から書類送検された。「違法薬物で間もなく逮捕」などの虚偽の内容を、広告収入を得るなどの目的で書き込んでいた。

標的になるのは著名人だけではない。11年10月に大津市立中学2年の男子生徒（当時13）が自殺した問題では、いじめたとされる少年や学校関係者らを実名で糾弾するインターネットの書き込みが止まらず、誤った情報もあふれ、無関係の人が標的にされるケースもあった。（2012年7月23日付朝日新聞）

ネット環境の変化に、文部科学省は2024年度から小学生が使う教科書で、ネットをめぐるいじめやリテラシーに関する記述が大幅に増えた検定結果を、23年3月28日に公表した。全学年、全教科の149点で、動画や音声、参考資料などデジタル教材に誘導する二次元コード（QRコード）が掲載されることになった。

東京書籍の6年生道徳の教科書では、SNSで見たい情報ばかりに包まれる「フィルターバブル」や賛成意見だけが返ってくる「エコーチェンバー」を取り上げた。担当者は「ネット情報から差別が起こる仕組みを小学生から知っておくべきだと考えた」と話した。（2023年3月29日付読売新聞）

命を絶ったプロレスラー木村花さんだけでなく、母親の響子さんにも被害は及んだ。23年1月5日、ネット上で響子さんを中傷する文言を書き込んで名誉を毀損したとして、都内の40代男性が名誉毀損容疑で警視庁から書類送検された。響子さんへのネット上の中傷で立件されるのは3人目となった。

響子さんは、誹謗中傷の根絶をめざす活動の原動力について語っている。「加害者はSNS（交流サイト）を使って軽い気持ちで誹謗中傷しているのかもしれませんが、被害者本人や家族など周囲の人たちだけでなく、ときには加害者自身の人生も壊れてしまいます。私は二度と同じ悲劇が起きてほしくないとの思いで活動しています。私が告訴した加害者が刑事罰に処されたと報じられることは、誹謗中傷の抑止になると考えています。2022年に侮辱罪が厳罰化されたことも、一定のけん制になるのではと思います。ただし誹謗中傷の線引きが難しい場合もあります。例えばSNSに命令調で『死ね』と投稿する代わりに、『死ねばいいのに』などと願望として書き込めば、法的に一発ではアウトにならないことが多いのが実情です」（2023年3月24日、日経ビジネス電子版「木村さんの母『その投稿は優しいですか？』」）

その一方で、SNSの匿名による中傷の投稿が捏造と見られることに気づかず、木村花さんの母親が提訴するという複雑な事態も起きている。投稿内容の捏造は技術的に容易とされ、画像から捏造した人物を特定するのは困難という。母親はツイッターの投稿で花さんが中傷されたとして、大阪府内の女性ら一家4人を相手取り、2021年8月に約300万円の損害賠償を求める訴訟を東京地裁に起こした（その後、大阪地裁に移送）。訴訟記録によると、母親側は投稿の画面を写したと見られる画面を入手、花さんが亡くなった直後の時間帯に「花さん息してるー？　ってもう遅いかwww」「嫌ならおとなしくしとけば良かったんに」などと送った投稿とされる。母親側は提訴に先立ち、投稿画面で確認したアカウント情報をもとに投稿者の情報開示を請求。投稿者のIPアドレスの開示を受け、プロバイダーに氏名や住所を請求したうえで、女性ら一家が投稿者であると判断したという。これに対し、女性側は投稿を否定、代理人弁護士が調べたところ、画像には通常なら表示される投稿の日時がないうえ、投稿に使われるアカウントは非公開で5カ月前に開設されてから投稿は2回しかなかったという。女性側が投稿は実在しないものだとする主張に対し、母親側は訴えを取り下げて弁護士費用を負担する意向も示したが、条件が折り合わず、女性側は23年1月、捏造された画像に基づいて不当に提訴されたとして、母親側に880万円の損害賠償を求めて反訴した。女性側は訴訟で「提訴された当初は家族の中で誰が投稿したのかと疑わざるを得なかった。平穏な生活を送る権利を侵害された」と訴えている。（2023年6月22日付読売新聞）

このほかにも、匿名の書き込みに巻き込まれる人は増え続けている。

東京・池袋で2019年4月に起きた旧通産省工業技術院元院長が運転する自動車の暴走事故で妻と長女を失い交通事故の撲滅活動をしている松永拓也さんは2022年3月、ツイッターの投稿を目にした。「金や反響目当てで、飯塚昭三先生と闘ってるようにしか見えませんでしたね。そんな父親、天国の松永莉子ちゃん（3歳）と松永真菜さん（31歳）が喜ぶとでも？？　男は新しい女作ってやり直せばいいこと　お荷モツの子どもも居なくなったから乗り換えも楽でしょうに哄笑」。松永さんだけでなく、妻や長女も侮辱する内容に悲しみ憤った。

投稿し侮辱罪などに問われた被告（23）は22年11月に東京地裁であった初公判で「松永さんを侮辱する意図はなかった」と無罪を主張。12月にあった第2回公判で、松永さんは「明らかに私を侮辱する意図があったと確信しています。法律上、亡くなった妻と娘に人権は無いので、彼女たちに対する侮辱罪は適用されないことは分かっています。しかし愛する人を侮辱されることは、自分のことを侮辱されたこと以上に傷ついたというのが本音です」と意見陳述した。

（2022年12月19日、NHK　NEWS　WEB「追跡　記者のノートから」）。23年1月、懲役1年（執行猶予5年）、拘留29日の有罪判決が言い渡された。

2023年7月12日に東京都渋谷区のマンションで亡くなったタレントのryuchell（りゅうちぇる）さん（27）は自殺と見られ、その背景としてSNS上での誹謗中傷に近い書き込みが指摘されている。

りゅうちぇるさんは22年8月、「父親であることは心の底から誇りに思えるのに（中略）

〝夫〟であることには、つらさを感じてしまうようになりました」とタレントのpeco（ぺこ）さんとの離婚を発表すると、ツイッター上では攻撃が相次いだ。「りゅうちぇる、ぺこに自分の子供産ませて世話をさせて自分はサッサと子供とぺこから離れてぺこにそっくりな見た目になってんの、なんかそういうエグい生態の生き物みたいで怖い」などと、男らしさや女らしさといった価値観にとらわれない生き方や発信への反発が際立った。訃報後も、「りゅうちぇる、叩かれ始めた頃から今まで全く同情できないのは、世のパパたちはここがダメ！　みたいに自分から他人に喧嘩売って飯食ってたからなんだよ」「りゅうちぇる、かなり長い間死ね死ね言われてたのか。これはなかなか効くんじゃないかな」と、心ないつぶやきがあった。真偽不明のもっとひどい内容の中傷もあった。

健康社会学者の河合薫さんは、りゅうちぇるさんが亡くなる前日の11日、戸籍上は男性だが女性として暮らすトランスジェンダーの経産省職員が省内の女性トイレの使用を制限したとして国の行為は違法とした最高裁の判決と合わせ、「他人を傷つけないといられない人々」という見出しで、連載コラムに取り上げた。（2023年7月19日、日経ビジネス電子版）

河合さんは綴った。「どちらもとにかくひどかった。ここに書きたくないほどひどかった。というか恐ろしかった。トランスジェンダー職員のトイレ問題と、ryuchellさんの訃報は全く別の問題ではあるが、根っこは同じだ。2人ともこれまで『そこにあるのにない』ように扱われた問題に声を上げ、『これまでの当たり前が当たり前じゃない』と一歩踏み出した人たちである。彼ら彼女らの勇気が生きづらさを抱えてる人たちを救い、時代を変える風になる。なのに変わりたくない人たちが、容赦ない言葉を投げつけるのだ。無論、物事には様々な意見があるのが健全な社会だ。それまでの当たり前がなくなることへの恐れも分かる。しかし、どちらの出来事も『私』たちの社会の問題であるのに、『自分が見ている世界』が全てとばかりに、強い言葉がつづられていて、見ているだけで気分の悪くなるコメントがSNS上にあふれていた」

ベリーダンスに情熱を傾ける女性会社員を主人公として23年10～12月に日本テレビ系で放送されたドラマ「セクシー田中さん」（全10話）の原作者である漫画家の芦原妃名子《ひなこ》さん（50）が24年1月29日、栃木県内で死亡しているのが発見された。自殺を図ったと見られ、ドラマの脚本をめぐる対立とSNS上での波紋が死と関連しているのでは、という指摘が出ている。

8話までは脚本家の相沢友子さんが担当したが、「芦原さんはSNS（交流サイト）上で、『私が9話、10話の脚本を書かざるを得ないと判断した』などとする書き込みをしていた。さらに連絡が取れなくなった28日午後、自身のX（ツイッター）に『攻撃したかったわけじゃなくて。ごめんなさい。』と投稿していた」（2024年1月30日付毎日新聞）とドラマ化でのトラブルを示唆していた。

ただ、23年12月24日に相沢さんが原作者による脚本執筆について「残念ながら」とインスタグラムで発信したり、芦原さんが24年1月26日のXとブログで「ドラマ化するなら『必ず漫画に忠実に』」という条件があったとしたうえ、「漫画を大きく改編したプロットや脚本」「別人のようなキャラクターに変更」と不満を表明したりすると、SNS上では日本テレビや脚本家らに対し「原作が尊重されなかった」という批判が巻き起こった。一方、日本テレビは追悼文で「映像化の提案に際し、原作代理人である小学館を通じて原作者である芦原さんのご意見をいただきながら脚本制作作業の話し合いを重ね、最終的に許諾をいただけた脚本を決定原稿とし、放送しております」と述べていた。出版元の小学館は2月8日、調査を進めて再発防止に努める、と発表。同日、相沢さんはお悔やみの言葉のあと、「芦原先生がブログで書かれていた経緯は、私にとって初めて聞くことばかりで、それを読んで言葉を失いました」とコメントした。また、日本テレビは2月15日、「より一層安心して制作に臨める体制の構築に努める」として、検証するためドラマ制作部門から独立した社内特別調査チームを設置すると発表した。

マーケティングコンサルタントで企業リスクの管理を研究する西山守・桜美林大准教授は2月10日、芦原さんの死の理由をテーマにした記事で、「日本テレビにはどのような責任があったのだろうか？　現時点で言えることは、同社のプロデューサーが『脚本家と芦原さんの間のコミュニケーションをうまく図ることができなかった』ことぐらいではないか」と述べたうえで、「芦原さんの最後のメッセージを読む限り、死への引き金を引いたのは、ドラマ化に伴うストレスではなく、意図せぬ攻撃を招いてしまったことへの自責の念ではないかと思う」と指摘。「『○○が芦原さんを殺した』という断定は誰にもできないと思う。どうしても1つだけ答えをいれなければならないのであれば、筆者は『○○○』の中には『SNSでの関係者への攻撃と、それに便乗したネットメディア』と入れる」と結論づけた。（PRESIDENT Online）

コピーライター・メディアコンサルタントの境治さんは論考『セクシー田中さん』事件で露呈　Xの修羅場化とメディア幻想の終わり」で、「Xの前身であるTwitterは当初、面識がなくても同好の士が自然とひき寄せられる素晴らしい空間だった。（中略）そうした状況は2010年前後まで続いたが、10年代半ばになると炎上案件が出てきて、気をつけてものを言わないと怖い場になってきた。新たな出会いが少なくなり、Twitterで知り合った人と直接会うのを用心するようになった」と吐露した。（2024年2月14日、日経ビジネス電子版）

テレビ番組出演者や事件の遺族らだけでなく、近年、スポーツ選手もSNS上で非難の対象となっている。2021年の東京五輪では海外からのものも含め誹謗中傷が相次ぎ、選手への影響が懸念された。

体操女子で個人総合5位に入った村上茉愛選手は「見たくなくても嫌なコメントを見てしまい、すごく残念だなと悲しかった」と、自身のSNSに中傷のコメントが相次いだことに試合後のインタビューで涙を流した。卓球混合ダブルスで金メダルに輝いた水谷隼選手も、「くたばれ」「消えろ」といった中傷メッセージが自身のツイッターアカウントに届いていたことを明かした。体操男子個人総合優勝の橋本大輝選手への中傷を巡っては、国際体操連盟が採点規則を示したうえで「採点は公正で正確だった」と声明を出す異例の対応をした。（2021年8

月1日付日本経済新聞）

2022年の北京五輪のスノーボード女子ハーフパイプに出場した米国のクロエ・キム選手は、SNSで中傷を受けてメンタルヘルスの問題によって一時、競技を離れていた。キム選手は21歳、両親は韓国人。2015年に14歳で世界のトッププロが集まる大会「Xゲーム」で初優勝し、17歳のときに前回のピョンチャン五輪で金メダルを獲得した。しかし、13歳のときに「Xゲーム」で2位に入ってから自身のSNS上に〝中国に帰れ〟〝チームにいる白人のアメリカ人の女子からメダルを奪うのはやめろ〟といった差別的なメッセージが寄せられていたことや、普通の若者として生活することを望んでプリンストン大に入学し20年3月から競技に復帰したことを、雑誌『タイム』の取材に明らかにしている。（2022年2月9日、NHK NEWS WEB「オリンピックとSNS 選手のメンタルヘルスをどう守るか」）

2022年7月に米オレゴン州で開かれた陸上の世界選手権の期間中に、全出場選手の461選手の個人アカウントに寄せられた42万7764件の投稿やコメントのうち、27選手に対する59件が誹謗中傷だった、と世界陸連が調査結果を12月に発表した。誹謗中傷で最も多かったものが性的な内容で42％。人種差別が19％で続いた。特に黒人選手への中傷がひどく、蔑視の言動や動物の絵文字を使うケースが目立った。（2022年12月7日付朝日新聞）

2022年11月に開幕し日本代表の活躍が注目を集めたサッカーのワールドカップでは強豪のドイツとスペインを破り決勝トーナメントに進出し称賛を受けたが、途中では選手のプレーにＳＮＳで非難が集中する場面もあった。ドイツ戦での歴史的勝利のあとのコスタリカ戦で敗れた際には「手のひら返し」のように、中途半端なパスで決勝点につながるミスをした主将の吉田麻也選手＝シャルケ＝のインスタグラムには「キャプテン失格」「戦犯」「（日本に）帰ってくんな」。バックパスを多く選択した伊藤洋輝選手＝シュツットガルト＝のインスタグラムにも「お帰りください」「コスタリカの12人目の選手」などの言葉が並んだ。（２０２２年12月３日付毎日新聞）

## 4　皇室を巻き込んだＳＮＳでの炎上

２０１７年９月に婚約が内定していた秋篠宮家の長女眞子さま（29）が21年10月26日に結婚すると同月１日に発表した際、宮内庁は眞子さまが複雑性ＰＴＳＤ（心的外傷後ストレス障害）と診断されていたことを明らかにした。小室さんとの結婚をめぐり、「誹謗中傷と感じられるできごとを、長期にわたり反復的に体験された結果」を理由にあげている。眞子さまを診断した精神科医の秋山剛ＮＴＴ東日本関東病院品質保証室長は、ネット上での攻撃などで複雑性ＰＴＳＤが起こったとし、眞子さまが18～19年ごろから「平穏で幸福な生活を送りたいという願いが、不可能になってしまう恐怖を感じるようになった」と説明した。17年末から始まった小室さんの母佳代さんと元婚約者との「金銭トラブル」の週刊誌報道などを受け、18年２月に結

婚延期が決まっていた。（２０２１年10月２日付朝日新聞）

ネット上の炎上が拡散した要因について、山口真一・国際大グローバル・コミュニケーション・センター（GLOCOM）准教授（計量経済学）は「もっとも大きな役割を果したのはマスメディアであるテレビの情報番組だと考えている。週刊誌やＳＮＳで批判されていることを情報番組が取り上げ、それをまたネットメディアが報じる共振作用と相乗効果で炎上が大規模になっていった」と分析した。さらに、「私の研究では炎上に参加している人の60～70％は正義感で行っている。小室さんの母親がお金を借りたのに返さないという情報に接すると『それはずるいことだ。だからわれわれはたたく』ということになる。批判に正当性があると考える人はより攻撃的になる」「ネットに多く発信されているのは極端な人の意見だ。ネットを見て大多数の意見だと即断してはいけない。テレビなどのマスメディアが『これがネットの世論だ』と報じることはかなり誤解を招く。あくまで一部の意見と気付くべきだ」と指摘した。（２０２１年11月17日付日本経済新聞）

小室眞子さんの結婚をめぐる誹謗中傷と複雑性ＰＴＳＤの診断を受け、宮内庁は23年４月にインターネット上の発信強化を見据えた広報室を新設することになった。皇室の日々の活動についてほぼ日程のみを掲載していたホームページを刷新、国民に皇室への理解を深めてもらうとともに、「虚偽の情報による誹謗中傷」を減らしていきたい考えという。秋篠宮さまが21年11月にあった誕生日会見で、事実と異なる報道への対応について言及、宮内庁は情報発信のあ

り方を検討してきた。（2023年1月1日付朝日新聞）

誹謗中傷の投稿をしてしまう心理状態などについて、専門家の発言がある。

脳科学者の中野信子・東日本国際大特任教授は2020年の著書『人は、なぜ他人を許せないのか?』（アスコム）で「正義中毒」と名づけ、「正義中毒になると、自分と異なるものをすべて悪と考えてしまう」「誰かを許さないことで自己を肯定したい、自分の正しさを認めてもらいたい、という欲求の裏返しのよう」にも見える、と指摘する。特に相手が『わかりやすい失態』をさらしている場合、そして、いくら攻撃しても自分の立場が脅かされる心配がない状況などが重なれば、正義を振りかざす格好の機会となる」などと解説している。

また、精神科医の香山リカさんは、ネット中傷の依存状態になる背景について、「SNSは匿名で、安全地帯から物が言えると思い込んでいる人が多いので、ある種の達成感が得られやすい。攻撃した相手がショックを受けたり動揺していたりするのがSNS上で分かると手応えを感じ、さらに多くの人から賛同を得られると、『こんなに人のために役立った』という自己有用感が強くなります」と説明する。（毎日新聞取材班『SNS暴力』、毎日新聞出版、2020年）

精神科医で「Yahoo!ニュース」コメント欄の公式コメンテーターを務める井上智介さんは「誹謗中傷をする人って、引きこもってネットばかりしている人と思われがちですけど、実はエリートが一番多いという調査結果があります。社会的に成功していて『正しいことをやっていれば報われる』と思って生きている人。だから『悪いやつはたたかれて当然』という考えに至る。批判を繰り返すことで自分の正しさを際立たせようとしているんです」と発言している。（２０２３年５月５日付朝日新聞）

こうした誹謗中傷の対策として、ＩＴ大手のヤフーがヤフーニュースの記事にユーザーが意見や感想を書き込めるコメント欄（ヤフコメ）を記事単位で丸ごと非表示にする措置に乗り出した。22年10月下旬に配信された新聞記事など１００超の記事が非表示なった。ヤフーでは誹謗中傷など不適切な投稿が問題になり、同社は14年から人工知能（ＡＩ）による監視を始めた。18年以降、「建設的がどうか」「読んだ人が不快に感じないか」といった基準でＡＩが点数化する仕組みを導入。「関連度」や「不快」の点数が特に低い投稿や、過度な批判や誹謗中傷を含むコメントは削除もしており、１日あたりの削除件数は2万件に及ぶ。今回は不快度を判定する判定するＡＩを活用して、過度な批判や誹謗中傷、差別、暴力的などの項目に該当する「違反コメント」が一定数を超えた時点で、その記事を丸ごと非表示にする。（２０２１年11月18日付朝日新聞）

さらに、ヤフーは22年5月までにヤフーニュースに掲載するエンタメなどの一部記事に関し、誹謗中傷の抑止を目的に読者のコメント投稿欄を閉鎖した。閉鎖されたのは小学館の「ＮＥＷＳポストセブン」、主婦と生活社の「週刊女性ＰＲＩＭＥ」、東京スポーツ新聞社の「東スポＷｅｂ」が提供するエンタメ記事。ヤフーは半年ほど前から報道各社に対し、臆測に基づく記事や、読者の関心を引くことを狙った過度な「釣り見出し」をやめるよう要請を強め、対応が不十分とみなした一部の社と契約解除を検討、協議を経て、エンタメ記事のコメント欄を閉鎖した上で契約を続けることで折り合った。今回の措置は、秋篠宮ご夫妻の長女小室眞子さんと小室圭さんの結婚を巡る報道が引き金となった。（2022年5月31日付中国新聞）

# 第Ⅲ章

# 匿名の書き込みが非難を加速させているのか

## 1　韓国で試みられたネット実名制

社会学者である関西学院大の鈴木謙介准教授は2013年に刊行した著書『ウェブ社会のゆくえ』（NHKブックス）で、実名を避けがちな日本の特徴を取り上げている。「日本では、ウェブ上で実名を公開することを忌避する傾向が、諸外国に比べて強い。自分を特定されるような情報を公開しているのは、韓国八八パーセント、フィンランド七九パーセントに対して、日本では二〇パーセント程度。要するに、日本では『ウェブで自己開示をする』ことが避けられる傾向にある」

専修大の澤康臣教授（ジャーナリズム論）も2023年の著書『事実はどこにあるのか』（幻冬舎新書）で、ツイッターの匿名利用率が日本は75％と米英韓とシンガポールの3割台、フランスの45％に比べて突出して高かった2014年の総務省調査を報告。「SNSに本名を載せていない」人が62％に上り、SNSでの誹謗中傷の原因として「SNSの匿名性」を挙げた人が6割以上だったという2020年の17～19歳を対象とした日本財団の調査結果も伝えている。

山口真一・国際大准教授は、韓国で2007年から12年まで、利用者の多いウェブサービスを利用するには、住民登録番号を使った実名確認と、クレジットカードや携帯電話を利用した本人確認をサービス運営者が行う必要があったことを紹介。このインターネット実名制（制限的本人確認制度）は法律に基づく規制だったが、表現の自由の観点から憲法違反だとして廃止された経緯にふれたうえで、匿名性を維持しつつ必要な改善を行い、自由で多様な視点を提供する言論環境を維持するための日本での取り組みについて提言している。「重要なのは、大手プラットフォーム事業者の事業を透明化させていくことである。今回の電話番号登録制でいえば、この措置によって全体のコメント投稿数、不適切な投稿数、不適切な投稿を繰り返すアカウント数などがどのように変化したのかについてデータを公開することが、ヤフーには求められる。こうした透明性が確保されていれば、社会全体で施策の影響を監視し、より適切な施策について議論していくことが可能になるからだ」（2022年12月9日付朝日新聞）

インターネット上の誹謗中傷対策として韓国で導入されたのが「ネット実名制」だった。まず2004年3月、公職選挙法が改正され、選挙の掲示板での実名制が始まり、利用する際には実名が確認された人だけが書き込みできるようになった。ただ、05年の公職選挙法改正で、実名の確認を受けた場合にはニックネームやIDなどの仮名でも利用が可能になった。

しかし、05年に地下鉄で「犬のフン」（ゲトン）を放置したまま降車した女性に関する目撃談と写真がネット上に掲示され非難の的になった「ゲトン女」事件が起こったほか、06年に北朝鮮を訪問したことで知られる人物の息子の死亡についての新聞報道をめぐる書き込みで告訴された件が発生し、書き込みの否定的な側面が危険な水準に達したとして、インターネット文化の適正化を目的に実名制が実施されることになった。

東京大の柳文珠さんが2013年に発表した論文「韓国におけるインターネット実名制の施行と効果」(『社会情報学』第2巻1号)によると、ネット実名制に違反すると、公職選挙法では技術的なシステムを設置しない場合に1000万ウォン(13年1月換算で約85万円)、実名認証の表示がない掲示情報を削除しない場合には300万ウォン(同約26万円)の過料が課せられる。情報通信網法では、掲示板で利用者の本人確認をする関連措置を設置しない場合には3000万ウォン(同約260万円)の過料となる。

ただ、ネット実名制が法制化されたからといって、サイバー空間での誹謗中傷が根絶されたわけではなかった。出演した映画やドラマが相次いでヒットし「国民的女優」と呼ばれ、プロ野球巨人に在籍した趙成珉(チョ・ソンミン)投手と一時結婚していた崔真実(チェ・ジンシル)さんが2008年10月、ネットでの書き込みを苦にソウル市内の自宅で自殺した、と報じられた。ある俳優が借金を原因に自殺した際、崔さんが貸していたというデマがネットの書き込みで拡散していた。07年1月には、美容整形手術を受けたと噂された女性歌手が自殺する事態も起きていた。ポータルサイトへの登録は実名で行われていたが、書き込みは匿名のIDで可能だった。崔さんは警察に訴えた結果、証券会社社員の女性が書類送検された。政界では実名表記の強化を求める声が起こり、11月からは1日の平均利用者が30万人を超えるポータルサイトか20万人以上のネットメディアで義務づけられていた住民登録番号による本人確認が、10万人以上の利用者がある場合に拡大された。

インターネット実名制については、憲法で保障されている「表現の自由」を制限するのではないか、という議論があった。匿名制の弊害を除去する実名制は合憲とする立場と、実名制は委縮効果を生じさせ表現の自由を侵害するという違憲論の主張が対立していた。合憲論はサイバー空間の公共的領域性に立脚し実名制が表現の自由とプライバシーを侵害するものではないという意見に対し、違憲論は本人確認の強制はインターネットにおける表現の自由を過度に制限する危険性を指摘した。金光石さんの2013年の論文「『インターネット実名制』に関する憲法論的考察」(『法政論集』251号)によれば、公職選挙法の実名制確認が表現の自由を侵害したとして審判が請求されたが、一般人の健全な常識と法感情を持ち出して合憲の判断が2010年2月に下された。

柳文珠さんの論文では、市民団体の参与連帯とインターネット新聞のMEDIA TODAYが2010年、一般掲示板の制限的本人確認制についてそれぞれ憲法請願を提起し、2012年8月、憲法違反の判決が下された。政府による強制的な規制は廃止され、実際の運営における実名制の廃止か継続かは各事業者の判断に任せられたが、事実上、制限的本人確認制は導入から5年で廃止されることになった。

## 2　削除されない「過去」の情報

インターネット上に一度流れた情報をすべて削除するのは難しいため、大半の人が忘れ去ったような発言が記録として残されて問題視されることも起きる。

新型コロナウイルスの感染拡大のため２０２０年から開催が1年間延期された東京五輪・パラリンピック。開幕直前までさまざまあったつまずきの第一歩が、15年9月に起きた五輪エンブレムの使用取り消しだった。デザイナーの佐野研二郎さん（43）が制作したエンブレムについて、7月の発表直後からベルギーの劇場のロゴマークと似ているという指摘があり、その後もネット上で佐野氏の過去のデザインについての盗作疑惑が出された。エンブレムの盗作や模倣は否定したが、佐野さんが取り下げを申し出た。

ネットの普及によって画像や書体などデザインの検索が容易になって「1億総探偵」状態になり、盗用の指摘が相次いだという事情があった。エンブレム取り消しの前月には、販促キャンペーン景品として佐野さんがデザインしたトートバッグの一部の発送の中止を、サントリーが発表した。ネット上での指摘が理由だった。

開幕式を4日後に控えた２０２１年7月19日、開会式の楽曲を担当するミュージシャンの小山田圭吾さん（52）が26～27年前に雑誌や書籍で同級生や障害者をいじめていた体験をインタビューで語っていたことがわかり、五輪の大会組織委員会に辞任を申し出て認められた。14日に小山田さんが開会式楽曲（4分間）の作曲家メンバーの1人と発表され、その直後から批判が集まったのはインターネット上だった。障害者らへのいじめを告白する雑誌記事に内容を転載したブログなどがツイッターで拡散された。いじめ加害発言があったのは、94年の音楽雑誌『ロッキング・オン・ジャパン』と95年の書籍『クイック・ジャパン』の企画「いじめ紀行」だった。

小山田さんは16日、ツイッターなどで謝罪文を掲載した。過去の発言について組織委員会は「把握していなかったが、不適切な発言」とのコメントを発表しながらも、「現在は高い倫理観をもって創作活動に献身するクリエーター」と続投させる意向だった。しかし、障害者団体が組織委員会に説明を求める声明を出したり、多くの海外メディアが報じたりした。19日には加藤勝信官房長官が「政府として共生社会の実現に向けた取り組みを進めており、全く許されるものではない」と小山田さんの発言を批判。小山田さんは19日夜、自身のソロユニット「コーネリアス」のツイッターに「（楽曲参加の）依頼を受けたことは様々な方への配慮に欠けていたと痛感している」と辞意を表明した。（2021年7月20日付朝日新聞）

辞任ラッシュは続く。開幕前日の22日には、東京五輪の開閉会式のディレクターだった劇作家の小林賢太郎さん（48）がナチ人によるホロコースト（ユダヤ人大虐殺）を揶揄する表現を1998年発売のビデオでしていたとして、大会組織委員会は小林さんを解任した。

小林さんがお笑いコンビ「ラーメンズ」と活動していたときのコントで「ユダヤ人大虐殺ごっこ」というセリフを用いていた動画が21日深夜からインターネット上で拡散した。22日未明、米国のユダヤ人人権団体「サイモン・ウィーゼンタール・センター」が「どんな人にもナチスの大量虐殺をあざ笑う権利はない。この人物が東京五輪に関わることは600万人のユダヤ人の記憶を侮辱している」とする非難声明をホームページ上で発表した。小林さんは組織委員会を通じて「不快に思われた方々に、お詫びを申し上げます」と謝罪するコメントを出した。
(2021年7月23日付朝日新聞)

## 3　仕掛けられた見えない「広告」

消えない過去から新たな問題が明るみに出ることがある一方で、都合の悪いことは隠そうとする力学がインターネットで働くこともある。利用者の関心を集め広告収入に結びつくページビュー(PV)を上げるために、特定の方向性を強調したり、広告をニュースに偽装する「ステルスマーケティング」(ステマ)を潜り込ませたりするという手法が表面化し、媒体側の対策も講じてられてはいた。

ヤフーは2015年9月3日、国内最大級の中国情報サイト「サーチナ」との提携契約を解除することを発表した。事情を知る複数の関係者らは、「当初は中国ニュースや金融情報を提供していたが、最近になって嫌韓や嫌中のニュースが増えて問題になっていた」と明かす。「一時期は、ヤフーに掲載されるコンテンツの中で、嫌韓ニュースばかり上位に入っていた」（オンラインメディア運営会社幹部）。このままではヤフーニュースの品質が劣化すると考えたヤフーが、ついに契約解除。類似した手法を取っている他の契約メディアにも水面下で警告を出している。（２０１５年９月26日号『週刊ダイヤモンド』）

ブログメディア「ハフィントンポスト」日本版編集部は15年９月１日、特定の商品・企業などの広告宣伝を目的とする記事をＰＲ表記なしで掲載する〝ステルスマーケティング〟排除に向けた「ハフポストブログ調査・管理チーム」を設立したと発表した。ステマが疑われる過去記事については「金銭授受などの有無にかかわらず随時削除」するほか、今後ブロガーから寄稿を受けた記事も、管理チームが疑わしいと判断した際には不掲載とし、投稿者に警告する。その後も同様の寄稿が続いた場合は該当者のブログアカウントを停止するという。第１回検証結果として、14年７月〜15年８月に掲載した記事６本を削除したと報告している。ステマをめぐっては、Ｙａｈｏｏ！ニュースが７月に「積極的に排除し、撲滅したい」とする声明をスタッフブログに掲載。広告であることを隠して編集コンテンツと誤認させて広告を届けることを「優良誤認として景品表示法違反に問われる可能性もある悪質な行為」と批判していた。

（２０１５年９月２日、ITmedia ニュース）

こうした動きの一方、米アップルのスマートフォンの最新機器「iPhone 6s」の発売日にあたる9月25日。インターネット上のニュースの海の中に一つの記事が投げ込まれた。「本日発売！ iPhone 6s『銀座線全駅速度対決』勝ったのはどのキャリア?-」。NTTドコモ、KDDI、ソフトバンクの通信3社でそれぞれのiPhone 6sの通信速度を計測、東京メトロの銀座線19駅のうち13駅においてau（KDDI）が勝利した、という調査結果を掲載している。掲載の舞台裏を知る代理店関係者らは、こう証言する。「記事には一切表記されていませんが、これはKDDIがスポンサーとなって執筆されているステマ記事。KDDIの意を受けた大手PR会社がお金を支払って、メディアに書いてもらったもの」。広告主のノンクレジット（無表記）のニュースを装ったステマ記事の仲介役となっていた会社の一つが、日本最大級のPR会社ベクトルグループだ。ベクトル社員らが〝安定の発注元〟だったと証言するのが、ニュースサイト「RBB TODAY」、ファッション系ニュースサイト「FASHION HEADLINE」（三越伊勢丹からの業務委託）、自動車系サイト「Response」など、多数のサイトを運営するイードだ。同社はファクスによる事実確認に対して、過去にノンクレジットの広告記事は一切なく、全ての運営メディアは「編集記事と広告記事を明確に分けている」と回答を寄せてきた。ところが、『週刊ダイヤモンド』が独自入手した「FASHION HEADLINE」の媒体資料（2014年12月時点）には、広告商材の一環としてリリースベースなら1本15万円、取材撮影込みなら30万円からノンクレジットのニュース記事を執筆すると書かれており内部資料と一致する。（2015年11月7日号『週刊ダイヤモンド』）

ステマについては、2023年3月28日、景品表示法に基づく規制を同年10月から始めることが消費者庁から発表された。事業者の広告であるにもかかわらず「広告」と明記せずに宣伝する行為を規制するもので、一般消費者が広告と判別することが困難なものを規制し、広告主は違反すれば行政処分の対象となる。ただ、インフルエンサーなど第三者は規制の対象とならない。野放しだったステマの規制に乗り出したのは、22年に消費者庁の有識者検討会が規制の必要性を提言したのを受けたもので、SNS上で影響力があるインフルエンサーに広告主が対価を支払い、個人の感想であるかのように装い商品やサービスの宣伝を依頼する手法が商品選択に悪影響を与えると問題視されていた。事業者の広告であるかどうかは、投稿内容についての指示や確認など事業者の関与の有無で判断される。

インフルエンサーをめぐる広告では、米国で問題になったことがある。老舗百貨店のロード・アンド・テイラーが2015年、ファッションインフルエンサー50人に1000〜5000ドルを支払い、ブルーとオレンジのペーズリー柄のドレスを着た写真をインスタグラムに投稿してもらった。キャプションの記述の欠如などが問題だとして、米連邦取引委員会は16年、「有償広告を見ているのだと知る権利が消費者にはある」と主張し、取り締まりを行った。（ブルームバーグのサラ・フライヤー記者の2021年の著書『インスタグラム』、ニューズピックス、原著は2020年）

## 4　収益第一主義の弊害を示した「WELQ事件」

事実の正確さよりも収益につながるページビュー稼ぎを優先させる弊害を示したのが、ネット企業DeNAが運営していた医療情報のキュレーション（まとめ）サイト「WELQ（ウェルク）」による不正確な記事と無断転載・改ざんだった。2016年11月にニュースサイト「BuzzFeed（バズフィード）」の報道で事態が急速に動き、その後、DeNAが運営する他の情報まとめサイトでも同様の不正な手法による記事作成が明るみに出てサイトの閉鎖が相次いだ。

ニュースサイト編集者の中川淳一郎さんは「不正内容は、他のサイトからパクったネタを語尾を変えるなどし、著作権違反をしていたことや、信ぴょう性の低いネタをもっともらしく扱っていた点である。激安価格で素人に近いライターに記事を発注し、記事を量産していた」と指摘した。（2016年12月10日付東京新聞「週刊ネットで何が…」）

東京経済大の佐々木裕一教授も著書『ソーシャルメディア四半世紀』で、「検索回数の多い語に基づく運営者側の指示によって、経済的見返りを期待した利用者による投稿がなされていた。しかもキュレーションサイト間の競争が激しくなり、記事あたりの執筆単価が下がっても書き手の需要はあり続け」た顛末が「ウェルク事件」であると位置づけた。そのうえで、「コピー&ペーストを主とする低コストの編集、つまり『疑似キュレーション』が、情報価値の高いコンテンツの提供を謳うサービスにおいても常態化し、多くの閲覧者がそれに満足し、また興じていたことはウェブ上の情報におけるオリジナル投稿文化という規範ないし常識が完全にすみに追いやられたということを示している」という厳しい見解を表明している。

ＤｅＮＡの第三者委員会が17年3月に公表した報告書によると、最大で2万件の著作権法侵害の疑いや約10件の医薬品医療機器等法（旧薬事法）違反の疑いの記事があることがわかった。報告書では問題点が数多く指摘された。「ＤｅＮＡが運営する10のサイトでは、編集担当者は各サイトとも10名以下しかおらず、記事内容を適切に確認することは物理的に困難だったが、コスト面から担当者を増員せず、外部ディレクターにチェックを委ねるなどしていた」「事業の性質上、他人の権利を侵害しかねない潜在的リスクを抱えているが、事前の予防策が十分に講じられず、各サイトには記事数や利用者数といった指標が、事業全体には営業利益などの目標が設定されていた」「ウェルクのチームでは、記事内容の正確性などを担保するために医師などの監修を付けることが必須だと認識されていたが、『記事の大量生産』という方針にそぐわないことやコスト面から見送られた」

## 5　転換期を迎えたＧＡＦＡと肥大化への規制

インターネットの普及に伴って、検索やＳＮＳ、通販などの機能が活用され、巨大化したＩ

T企業の代表格がGAFAである。グーグル、アップル、フェイスブック、アマゾンの4社の頭文字から取ったGAFAは、ネット広告をはじめとした高い占有率や影響力を及ぼすようになった。

例えば、個々の顧客の購入履歴や好みのデータに基づいて書籍を推薦するアマゾンは、当初から顧客一人ひとりの膨大なデータを持っていた。最後まで迷ったが購入に至らなかった書籍はどれで、どのくらいの時間チェックしていたのか、一緒に購入したのはどの書籍かといった情報を蓄積していた。書評委員の推薦から販売につながったケースとコンピューターの推薦から販売につながったケースを比較すると、データから導き出したコンテンツのほうが100倍も大きな売り上げを生み出していた。アマゾンの売り上げ全体の3分の1は、この「おすすめ」とパーソナル化のシステムから生み出されているという。（V・M＝ショーンベルガー、K・クキエ『ビッグデータの正体』、講談社、原著と翻訳はともに2013年）

半面、GAFAは存在感の肥大化によって、そのあり方に対する問題提起が相次ぎ、成長一辺倒の時代から転換期を迎えている。

米司法省と11州はグーグルを独占禁止法（反トラスト法）違反の疑いで首都ワシントンの連邦地裁に提訴し、違法行為の中止や事業分割を含めた是正措置を講じるよう求めた。司法省が指摘したのは、グーグルが検索市場での圧倒的なシェアを背景に、スマートフォンメーカーなどに自社の検索エンジンを優先的に利用するよう要求していることだ。訴状では、「ライバル

企業の検索サービスの利用を妨げている」と指摘した。（２０２０年10月22日付毎日新聞）
バイデン政権に移った２０２３年１月にも、米司法省はインターネット広告事業が違法だとしてグーグルを反トラスト法違反の疑いで一部部門の分離を求めて提訴した。米国における同社のシェアは、広告枠を持つ会社向けのシステムで90％超、広告市場運営で50％以上と高い支配力があり、買収で関連分野に参入して寡占を築いたのは違法と主張、広告枠を持っている会社が他社の市場を利用しにくくするといった操作で競争をゆがめたと指摘している。グーグルの持ち株会社アルファベットの22年７～９月期の売上高約６９０億９２００万ドル（約９兆１００億円）のうちネット広告が８割を占め、収益を支えている。（２０２３年１月26日付日本経済新聞）
日本でも公正取引委員会が２０２１年２月、ネット広告市場に関する実態調査の報告書をまとめ、巨大ＩＴ企業の寡占化を懸念し、自社に都合のいい広告配信を増やした場合は独占禁止法違反の恐れがある、と指摘した。巨大ＩＴは検索サイトやＳＮＳなどプラットフォームの運営に加え、広告配信の仲介業を兼ねていることが多く、自社のＳＮＳや動画配信サイトなど有力な媒体について、他の仲介事業者経由の広告配信を閉め出したり自社サービスの利用割合を義務づけたりする行為が独禁法違反になると例示した。
巨大ＩＴ企業は検索サービスやＳＮＳを通じて集めた膨大な個人データを使い、消費者一人ひとりの好みや興味に沿った広告を配信して大きな利益を得ているが、不透明な基準で自社サービスを優遇しているのでは、と疑問視する声が競合企業から出ていた。利用目的が曖昧なまま取得した個人情報を広告に利用することが消費者に対する「優越的地位の乱用」にあたる可能性のほか、広告収入につながるクリック数を増やすため刺激的な見出しやフェイクニュースでアクセスを誘う恐れも報告書では指摘された。政府が2018年ごろから進めてきた巨大ITを対象とした規制づくりが、今後広がる可能性があるようだ。

公正取引委員会が懸念を示した背景には、検索サイトに表示される検索連動型の広告シェアでグーグルが70〜80％と国内IT大手のヤフーの20〜30％を圧倒しているうえ、ネット広告費が2019年には2兆円超と広告費全体の3割を占めるまでに急成長している現実がある。

（2021年2月18日付読売新聞）

プラットフォーマー（PF）と呼ばれる巨大IT企業への規制を強化する新法が20年5月27日に参院本会議で全会一致により可決、成立した。PFに取引の透明化を求める日本初のルール。ただ、主な対象はグーグルやアマゾンなど「GAFA」と呼ばれるグローバル企業のため、一国での対処には限界がある。新法は「特定デジタルプラットフォームの透明性及びの公正性の向上に関する法律」。当面、大規模な通販サイトやアプリストアの運営会社が規制の対象になる。（2020年5月28日付毎日新聞）

巨大ITの寡占化傾向はさらに進んだ。21年時点で見ると、グーグルは検索シェア（世界）で91・5％に達し、フェイスブック（21年に社名をメタに変更）はSNSシェア（世界）で79・

6％に及んだ。スマホシェア（米国）でアップルは57・6％を数え、ネット通販（米国）ではアマゾンが39・5％を数えた。検索やＳＮＳ、動画配信などの無料サービスは、便利になるほどプラットフォームを訪れる利用者が他のネットサービスに移りにくい「囲い込み」効果が生まれ集中が加速する。また、有望な新興企業を買収し将来のライバルの芽を摘む動きも目立っている。（２０２２年5月2日付読売新聞）

ＧＡＦＡからも自らに規制を課す姿勢が出始めた。グーグルは21年3月、インターネット利用者の閲覧履歴を追跡する技術の使用制限を強化することにした。ウェブ閲覧ソフト（ブラウザー）「クローム」でウェブサイト運営企業以外の広告会社などが行動追跡に使ってきた「サードパーティークッキー」への対応を、22年までに止めることを決めている。配信対象を絞り込む「ターゲティング広告」は利用企業の支持を得てきたが、技術が高度になり消費者の間で「行動を盗み見られているようだ」などといった不満が高まっていた。（２０２１年3月４日付日本経済新聞）

識者からも厳しい視線が注がれるようになった。米国の国際政治学者イアン・ブレマーさんは「米国人は最もメディアに操作されている。仲間内の情報に接するうち、過激思想やフェイクニュースを信じ、非科学的態度を取るようになる」と、ＳＮＳが普及する米国の問題点をあげている。（２０２２年４月17日付中国新聞）

米ピュー・リサーチ・センターが20年に実施した調査によると、ソーシャルメディア企業が政治に与える影響力について、米国人の72％が「大きすぎる」と答えた。「ほぼ適正」（21％）、「十分ではない」（6％）を大きく上回った。巨大ＩＴ企業に対する規制は、47％が「現在よりも厳しくすべきだ」と答えた。（２０２１年5月14日付読売新聞）

右肩上がりだったＧＡＦＡが転換点を迎えていることは、企業の実績からも明らかだ。アップルがスマホ「iPhone」を発売した２００７年を起点にした21年までの14年間の売上高をみると、年率平均でアルファベット（15年に設立されたグーグルの親会社）が21・６％、アップルが21・５％、メタが60・７％、アマゾンが28・０％と伸ばした。

２０２２年2月にフェイスブックの世界利用者が初めて減少に転じた、と発表された。フェイスブックや写真共有のインスタグラムを運営するメタは、４～6月期決算で上場以来初の減収を発表し、11月には全従業員の約13％にあたる1万１０００人超を削減すると発表した。翌23年3月にも、約1万人の人員削減を実施すると発表。異例の時間を置かない大規模リストラとなったほか、５０００人の採用計画の中止も示された。グーグルを傘下に持つアルファベットは22年7～9月期まで3四半期連続で最終利益が減少し、特に動画共有「ユーチューブ」部門の売上高が19年の開示以来初めて減少に転じた。

アマゾン・ドット・コムも23年1月4日、事業計画に伴うレイオフ（一時解雇）が1万８０００人を超える規模になる、と発表した。アンディ・ジャシー最高経営責任者（ＣＥＯ）が４日付で従業員に送ったメールで明らかにした。コロナ禍の「巣ごもり消費」のネット通販特需が起こり、物流網拡充のために人員を大幅に増やしていた。だが、需要が一巡し、23年3月には9000人の追加削減が発表された。

同じ4日には、米セールスフォースも従業員の約1割にあたる7000人を超える一時解雇を発表し、利上げに伴う景気減速への懸念などから米テクノロジー企業の人員削減の拡大が鮮明になった。株価にも反映し、業績悪化が顕著なメタは22年初めから約6割、アルファベットやアマゾンも約4~5割下落、米欧のアクティビスト（物言う株主）はメタやアルファベットにコスト削減による収益改善を求めている。（2023年1月6日付日本経済新聞）

1月18日にも、米マイクロソフト社が3月までに世界で従業員1万人を削減する、と発表した。景気後退への懸念が強まり収益の伸びが鈍る中、米国外が半数近くを占める全従業員22万1000人の5%弱が解雇の対象となる。（2023年1月18日、日本経済新聞電子版）

さらに、グーグルが20日、グループ社員の約6%にあたる1万2000人を削減すると発表した。スンダー・ピチャイCEOは社員に宛てたメールで「過去2年にわたり事業の急成長に対応するために採用を加速したが、経済環境が変わった」と説明した。（2023年1月22日付日本経済新聞）

米テクノロジー大手5社（アップル、マイクロソフト、アルファベット、メタ、アマゾン）の2022年10~12月期決算はそろって最終減益となった。新型コロナウイルスの流行に伴う特需の反動が強まり、景気減速の影響も色濃くなっている。米調査会社のファクトセットによると、全社が最終減益となるのは旧フェイスブック（現メタ）が上場した12年4～6月期以降で初となる。5社の時価総額の合計は21年末には9兆7000億ドル（約1250兆円）に達したが、成長鈍化の影響により1年で40％近く減った。（2023年2月4日付日本経済新聞）

2023年1月5日付の日本経済新聞「社説」は、「ポストGAFA時代を挑戦の好機に」と題し、「米上場企業大手500社の合計時価総額に占めるGAFAの割合は、2013年末の7％から年々拡大してきた。だが、20年末の18％強をピークに縮小に転じ22年末は13％程度に下がった」と指摘。「各社とも事業が成熟化し成長が減速する」として、潮目が変わろうとしている中、「20年近く続いた『GAFA』時代の次の産業秩序を模索する創造的破壊を主導すべく、個人も企業も挑戦を加速したい」と結んだ。

22年後半、米国のIT産業では、アマゾン・ドット・コムやツイッターなどで8万人を超える人員削減が進んだ。さらに、外側からの規制の動きもある。「欧州連合（EU）が域内で23年に施行するとされる『デジタル市場法』はプラットフォーマーが顧客企業や個人に由来する情報を、第三者から生じた情報と合体させて新しいサービスを生み出すことに厳しい規制を設ける見通しだ。他方、GAFAによる中央集権的なプラットフォームを介さずに決済などが可能になる『ウェブ3』という技術潮流も生まれ、包囲網は次第に広がりつつある」（2022年12月6日付日本経済新聞）

月間4億人が利用するツイッターは22年、起業家イーロン・マスクさんの買収に揺れた。マスクさんは4月にツイッターに買収提案をして、9月の株主総会での承認を経て10月に買収を完了。11月に従業員の約半数にあたる約3700人が解雇されたほか、翌12月に進退を問う利用者アンケートの結果を受け、ツイッターのCEOを辞任する意向をいったんは表明した。12月にはアカウントが本人のものと示す認証バッジの有料化が本格化し、無料バッジは23年4月から廃止となった。23年2月には投稿やアカウントの新規フォローができなくなる大規模な障害が発生した。7月には岩手県花巻市や埼玉県草加市、大分県佐伯市、静岡県伊東市などの自治体や国立国会図書館などの公的機関のツイッター公式アカウントが具体的な理由のないまま相次いで凍結され、数日後に解除される事態が起きている。また、マスクさんはCEO辞任を表明していたが、ツイッター社は23年4月、マスクさんが所有する法人「X（エックス）社」と合併した。

23年は、他のSNSにとっても厳しい年になった。SNSを集客の手段として活用してきたネットの新興メディアでは報道部門の閉鎖や経営破綻など、苦境が相次いで表面化した。サブカルチャーや紛争地帯への潜入取材をもとにしたコンテンツで若い世代の支持を集め、「次世代のCNN」とも呼ばれたヴァイス・メディアは5月に経営破綻し、米連邦破産法11条の適用を申請した。4月にはバズフィードが報道部門のバズフィード・ニュースを閉鎖している。2020年の米大統領選や新型コロナウイルス禍などを経て、SNSに流れる情報への信頼度が下がったという調査結果があるほか、ニュース以外のコンテンツとの競争激化やSNSの利用の伸び悩みによる読者の流入減からくる経営の行き詰まりの構図が浮かび上がっている。フェイスブックなどのSNSについても、「質の高いジャーナリズムを無料で提供するという事業モデルが成立する構造ではなかった」という指摘がバズフィード・ニュース編集長経験者から出ている。（2023年5月28日付日本経済新聞）

SNSを通じ広告収入をもとに無料で記事を配信してきたが、ニュース部門は赤字で、バズフィードも22年決算では2億ドルの赤字となり、株価も1年間で80％以上の下落を記録した。バズフィード・ニュースは11年に設立され、中国でのイスラム教徒の収容施設建設をめぐる報道で21年のピュリツァー賞の海外報道部門を受賞するなど調査報道に力を入れていた。

バズフィードやヴァイス・メディア以外にも、選挙予測で定評がある「538」やVOXメディア、ビジネス・インサイダーでリストラが続き、新興ネットメディアが採ってきた、ソーシャルメディアを通じて読者に記事を提供する手法の不振が指摘されている。日本でも、23年5月にバズフィードジャパンがニュース部門をハフポスト日本版に統合しエンタメ部門に注力すると発表。スマートニュースの子会社・スローニュースがノンフィクションの定額課金サイトのサービスを22年7月にいったん停止したあと、23年6月に再開されている。苦戦の背景として、利用者の高齢化や動画へのシフト、広告収入の伸び悩みが指摘されている。（2023年7月7日付朝日新聞）

しかし、23年7〜9月期決算では、GAFAにマイクロソフトを加えた米「テック5強」が純利益の増益を確保し、回復傾向を示した。アップルをのぞく4社は22年秋から5万人を超える人員削減に踏み切り、とくにメタやアマゾンでは経費圧縮が進んで、5社の最終増益（黒字転換を含む）は4～6月期に続き2四半期連続となった。7～9月期には各社のネット広告が好調だった。（2023年11月4日付日本経済新聞）。24年2月1日に出そろったテック5強の23年10～12月期決算は、10四半期ぶりにそろって増収増益となった。広告やネット通販が好調で、人員削減によるコスト削減も寄与した。

## 6　格差と分断を増幅させる装置

政治学者でハーバート大のロバート・D・パットナム教授は、2017年の著書『われらの子ども』（創元社、原著は2015年）で、インターネットの利用が階級間の不平等を拡大しているという考えを打ち出した。

「上層階級出身の若者（とその親）は、より貧しい比較相手と比べたとき、インターネットを仕事、教育、政治・社会参加、健康およびニュース収集に利用する傾向があり、娯楽やレクリエーションのために使うことは少なかった。裕福なアメリカ人は、インターネットを移動性拡大の方向で利用するが、教育水準の低いアメリカ人の典型的な使い方は、そのような方向ではない」「教育水準の高い家庭の子どもは、より洗練されたデジタルリテラシー能力――インターネット上でいかに情報を検索し、それを評価するかの知識――を身につけており、またそのような能力の活用にあたっての社会的サポートを持ちやすい。そのような子どもはインターネットを、拡大するデジタル経済・社会からの見返りを獲得する助けとなるよう利用している。低層階級の子どもたちがインターネットに対して、ほぼ同じ物理的アクセスを持つようになったとしても、そういうアクセスを自分の機会を増強するように使うデジタル知識に欠けてしまっている。少なくとも発展過程のこの時点において、インターネットは機会格差を縮小するというよりも、むしろ拡大させる可能性が高いように思われる」

米国の社会学者ダナ・ボイドさんも2014年の著書『つながりっぱなしの日常を生きる』（草思社、原著も2014年）で、似た主張を展開していた。

「テクノロジーは人々が新しいかたちでつながることを可能にすると同時に、既存のつながりを補強するからだ。それは情報への新しいタイプのアクセスを可能にするが、人々がそのアクセスをどう経験するかはどうしても不公平なのだ」「合衆国における人種分離をはじめとする既存の社会的区分は、単純に人々がテクノロジーにアクセスできるからといって消えてなくなっているわけではない。コミュニケーションを実現するツールは不信や憎しみや偏見を洗い流しはしない。とりわけ人種差別は、ネットワーク化された場において新しい形で現れる。インターネットは万能薬どころか、現代社会にはびこる人々を分断し対立させる力学をただ浮かびあがらせている」と。

実生活より仮想空間のほうが、自分と対極的な視点を持つ人物と共存しやすい、と指摘するのは米国のデータサイエンティストだったジャーナリストのセス・スティーヴンズ＝ダヴィドウイッツさん（『誰もが嘘をついている』、光文社、２０１８年、原著は２０１７年）。総合的社会調査のデータによると、家族や近所、同僚、友人など実生活で遭遇する相手が異なる政治信条を持つ確率は、任意のニュースサイト上に政治信条が異なる人々が共存する確率よりも低かった。つまり、実生活より仮想空間のほうが対極的な視点を持つ人物と共存しやすい。ニュースサイト上の45・2％に対し、同僚41・6％、隣人40・3％、家族37・0％、友人34・7％にとどまった。

その理由として、ネット上のニュース産業は2、3の巨大ニュースサイトが圧倒的に幅を利かせていることと、強い政治主張を持つ人々の多くは、単に怒りをたぎらせるためや議論を吹っ掛けるためだけであれ、対極的な立場のサイトを実際に訪れるから、という二点を挙げている。

好んでいるものを推測する「予測エンジン」に囲まれ、過去のクリックが今後目にするものを決める情報の決定論のような状況になり、過去と同じことを繰り返すループにはまってしまうと指摘する。

さらに、自分が知る見方を強化し、見たいと思うことを見るようになる「確証バイアス」を、フィルターバブルが劇的に強めてしまうとも述べている。

利用者自身も、情報の正確さより注目や関心を集めることを優先して広告収入を得るネットの「アテンション・エコノミー」について、39％が「大いに問題だ」、47％「多少は問題だ」と、読売新聞社が２０２３年３〜４月に「デジタルと社会」をテーマにした全国世論調査（郵送方式、18歳以上を対象に２０５５人が有効回答）で答えている。（２０２３年5月11日付読売新聞）。「アテンション・エコノミー」について何らかの対策を講じた方がよいと思うか、との質問に、「思う」が80％と、「思わない」の16％を大きく上回った。

グーグルやアマゾンなど巨大ＩＴがさまざまなサービスを通じて利用者の情報を集めていることについて、集められた個人の情報がどのように使われているか不安に感じるかについて、「大いに感じる」29％、「多少は感じる」53％が、「あまり感じない」13％、「全く感じない」3％を圧倒する結果となった。信頼できる広告では、「テレビＣＭ」の45％、「新聞広告」の40％に対し、「インターネット広告」は5％にとどまった。その一方で、ＳＮＳや動画サイトなどで自分の興味や関心に沿った情報が自動的に表示されることを便利だと「思う」「どちらかといえば思う」が計57％と多数派であり、興味・関心がある分野以外も表示してほしいと「思う」「どちらかといえば思う」が47％で、「思わない」「どちらかといえば思わない」の48％と拮抗していた。仕組み自体には疑問を感じながら、利便性に引きずられている利用者の現実が示されているかのようだった。

また、ツイッターや動画投稿サイト「ユーチューブ」などネットで個人が自由に発信する情報についての評価では、「偏った情報や考え方に影響される人が増え、社会の分断が深まる」が63％に達し、「多様な情報や考え方が世の中に広がり、社会が豊かになる」の32％のほぼ2倍だった。インターネットのニュースや情報の信頼性を高めるために進められている、発信元を証明する新しい技術の開発の仕組みについて必要性を聞いたところ、「思う」が90％と大半を占めた。

その半面、社会のデジタル化が進んだことについて、社会全体が「良くなった」「どちらかといえば良くなった」が計50％と「悪くなった」「どちらかといえば悪くなった」の計19％を大きく上回り、暮らしについても「良くなった」「どちらといえば良くなった」の計50％と「悪くなった」「どちらかいえば悪くなった」の計11％と比べて肯定的な受け止め方が目立った。世の中の動きを知るための情報を何割程度インターネットを通じて得ているかという設問では、7～8割が21％と最多で、情報の7割以上をネットに依存している人が3割を超えている現状も明らかになった。ただ、社会のデジタル化が今後さらに進むことについては、「不安」が55％と「期待」の43％より多かった。デジタル化が進んだ現代は幸せだと「思わない」が55％と「思う」の36％を上回る回答だった。

東京大社会科学研究所のデジタル化をテーマとした研究会が２０２０年11月に実施したオンライン調査（国内の25～69歳の男女か対象で２１２８人から有効回答）の結果でも、「デジタル技術の自身の仕事・生活への影響」の質問に対し、「楽観的」が「悲観的」を大きく上回った。半面、「デジタル技術の格差への影響」という質問では、「楽観的」「どちらかといえば楽観的」の合計が、「悲観的」「どちらかといえば悲観的」の合計をやや下回った。また、インターネットの利用頻度が高いと友人・知人との会話や訪問や頻度が低くなるというN・ニーらの報告とともに、インターネットの利用で社会的活動のため外出がむしろ増えるというJ・ガーシュニーの調査分析を紹介している。ガーシュニーらはデジタル化で生活のペースが加速したのではなく、労働市場への参加がふえた女性の仕事と家庭生活の葛藤などによる変化と結論づけている。（加藤晋・伊藤亜聖・石田賢示・飯田高『デジタル化時代の「人間の条件」』、筑摩書房、2021年）

初の女性大統領をめざしたヒラリー・クリントン候補（民主党）と不動産王と呼ばれたドナルド・トランプ候補（共和党）が争った2016年の米大統領選で、7月に「ローマ法王がトランプ氏の支持を表明」という偽ニュースがインターネット上で出回った。選挙は予想を覆し、トランプ候補が初当選を果たした。偽ニュースが選挙結果を左右したのではないか、と物議を醸した。名古屋大講師（計算社会科学）だった笹原和俊さんは、2018年の著書『フェイクニュースを科学する』（化学同人）で「選挙戦終盤には、主要メディアのニュースよりも偽ニュースのほうがフェイスブックでのエンゲージメント（『シェア』や『いいね！』などのリアクションやコメントの合計数）が高かったことがわかっています。主要メディアが掲載した上位二〇記事のエンゲージメントは約七三七万件だったのに対して、フェイクニュースの上位二〇記事はそれを上回る約八七一万件でした」と述べている。

大統領選のデマの情報源となったウェブサイトは、広告収入を目的として東欧の小国マケドニアなどの若者が百以上つくっていた。笹原さんは「その後の調査で別の関連が見えてきました。マケドニアのメディア弁護士と数名の米国人が米大統領選挙の期間中に緊密に活動し、偽ニュースサイトづくりに関与したことが報じられています。つまり、『マケドニアの若者たちの小遣い稼ぎ』という単純な話ではすまない可能性が出てきました」と指摘している。

16年12月には、首都ワシントンのピザレストランが児童売春の拠点になっていてクリントン候補が関わっているというネット上で飛び交っていた陰謀論を信じた男が、噂のピザレストランに押し入り、銃を発砲するという「ピザゲート」事件まで起きた。

マサチューセッツ工科大メディアラボの研究グループが18年3月に発表したツイッター上の偽ニュースの拡散に関する研究で、「誤情報は事実よりも遠く、深く、速く、幅広く拡散する」という結果が示された、と笹原さんは伝えている。誤情報が拡散しやすい話題は、政治が圧倒的に多く、次いで都市伝説、ビジネス、テロと戦争、科学と技術、エンターテイメント、自然災害の順だった。

そして、笹原さんはこう総括している。「私たちは『見たいものだけ見る』そして『似た人とつながり影響しあう』という生まれつきの傾向をもっています。認知バイアスや社会的影響は、社会的な生き物である人間には必要不可欠なものです。しかし、これらの傾向は偽ニュースを容易に信じ共有する行動を誘発します。情報生態系には要素レベルで偽ニュースに対する脆弱性があるのです」

総務省総合通信基盤局長だった谷脇康彦さんは2018年の著書『サイバーセキュリティ』（岩波新書）で、利用者が200万人を超えるソーシャルメディアとメディア企業を対象に、ドイツでは「ソーシャルメディアにおける法執行を改善するための法律」（ネット執行法）が17年10月に施行され、「ヘイトスピーチやホロコーストを肯定するような『明らかに違法な』投稿を24時間以内に削除しないサイトは最大五〇〇〇万ユーロ（約六五億円）の罰金を科せられる可能性」がある、と報告している。

# 第Ⅳ章

# 個人の発信で社会を動かす影響力

## 1　検察庁法改正を阻止したツイッターの投稿

例えば、かつては全国で国会図書館にしかない文献にあたる場合、東京に足を運んで閲覧する必要があったが、国会図書館のネット上に公開されている資料についてはパソコンやスマホがあれば自宅から閲覧することも可能になった。国会でのやり取りを記録した国会議事録も、発言者やキーワードがわかっていれば、自宅にいながらにして、質問や答弁のすべてが入手できる。ネットの検索機能による利便性は図りしれない。

また、誹謗中傷の危険性があるとはいえ、個人がマスメディアを通さなくても全世界へ自由に「発信」できる機能とその成果は確実にある。2020年5月にツイッターで投稿された「#検察庁法改正案に抗議します」は、俳優の小泉今日子さんら著名人を含め約600万ツイートを超える爆発的な拡散を呼び起こし、国会での成立断念の原動力となった。ハッシュタグつき投稿は1000万件以上になり、法案は翌6月に廃案となった。検事長など検察幹部が役職定年や定年の年齢になっても、政府の判断で最長3年間の留任ができる特例が盛り込まれた改正案は、政権との距離が近いと指摘されていた黒川弘務・東京高検検事長の定年延長を後づけで正当化するものといわれていたが、幻になった。

小泉さんは投稿について、「あのころってコロナ禍で私も会社をお休みにして、ずっと家に

書評・記事
◉朝日新聞　書評
『避妊男子』
<前略>
パートナーだけだ
をユーモラスに
<中略>

図書出版 花

——自由な発想で同時

# 新刊案内

## 進藤榮一著作集

**《地殻変動する世界》第１巻**
**分割された領土**

**進藤榮一 著**

5,500円（込）A5判上製
ISBN978-4-7634-2090-9

**日本を代表する国際政治学者、その全生涯にわたる仕事を明かす決定版。**

「第二の敗戦」の原点を探る。

「天皇メッセージ」を嚆矢とする「日本分割」と「対米従属」の実相、そして「原爆投下と核抑止」神話に隠された真実を暴き、保守支配と日米安保にとらわれた日本の姿を解き明かす。『敗戦の逆説』『戦後の原像』『分割された領土』、名著3部作収録。解説：白井聡（京都精華大学）

## 人新世の環境社会

**「複製技術の時代」から**
**「生成技術の時代」へ**

**大塚善樹 著**

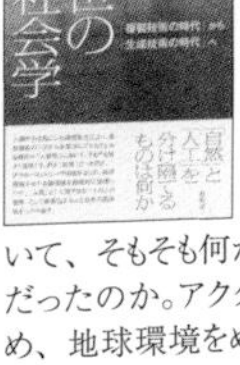


3,080円（込）四六判並製
ISBN978-4-7634-2093-0

**「自然」と「人工」を分け隔てるものは何か？**

人類が引き起こした環境変化により、自然独自のシステムが変容してきたとされる時代=「人新世」において、そもそも何が「自然」で、何が「技術」だったのか。アクターネットワーク理論をはじめ、地球環境をめぐる諸理論を越境的に拡張しつつ、「人間」と「人間ではないもの」の境界、そして曖昧化する人と自然の関係性をつかみ直す。

## 記者狙撃

**ベトナム戦争とウクライナ**

**中村梧郎 著**

1,870円（込）四六判並製
ISBN978-4-7634-2085-5

**かつて、ベトナムの戦場で殺された日本人特派員がいた……盟友の死から戦場フォトグラファーが見つめ続けた、「侵略の構図」。**
1979 年、戦後の疲弊したベトナムに中国が侵略した「中越戦争」。糾弾し続けた「赤旗」特派員・高野功は銃弾に散った。現場に居た報道写真家が向き合い続けた、侵略戦争の本質とは？ ベトナム戦争とウクライナ侵攻に共通する「帝国主義的侵略」に、現場の視点から迫る。

## 国民とは誰のことか

**ドイツ近現代における国籍法の**
**形成と展開**

**佐藤成基 著**

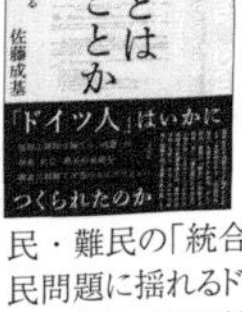


4,180円（込）四六判上製
ISBN978-4-7634-2089-3

**「ドイツ人」はいかにつくられたのか。**

国家成員が法制化され始めたナポレオン支配時代から、「民族的同質化」を極めたナチ時代、そして移民・難民の「統合」で紛糾する現代。移民難民問題に揺れるドイツにおける国籍法の変遷を通史的、歴史社会学的に分析、国際化の時代に国籍を問う意義を彫り起こす。包摂と排除を隔てる「国籍」の歴史 - 社会 - 政治的展開を緻密に紐解く圧巻のモノグラフィー。

…13日

…ァン・ジョルダン 作、
…條千晴 訳

…苦しむことに疑問を感じた2人の男性による主体的な実践
…ランス発のグラフィック・ノベル。
…避妊とは第一にパートナーの身体を思いやる愛情表現であり、カップ
…の実現だ。生殖能力は男性にとっても自己決定権のひとつであり、その自己管理
…権力に反する力を持つこと――そんな主体的選択としての男性避妊は、家父長制社会に
かけられた「男らしさの呪い」を解くためのレジスタンスなのだ
（評者：小澤英実　東京学芸大学准教授・米国文化）

**◉朝日新聞　書評掲載　2023年10月21日**

『プライバシーこそ力』　カリッサ・ヴェリツ 著、平田光美、平田完一郎 訳

＜前略＞
最新技術の解説ではない。プライバシーと権力の関係を一般読者にわかりやすく伝える。
著者によれば、私たちはスマホ等の機器を使うことで、あらゆる個人情報を収集、売買されている。＜中略＞それだけだけではない。企業がより多くの個人データを収集すれば、政府は、監視をしやすくなる＜中略＞
本書はプライバシーの喪失が私たちに何をもたらすかを考えるうえで役立つだろう。
（評者：藤田結子　東京大学准教授・社会学）

**◉朝日新聞　書評掲載　2023年9月30日**

『バスキア』　パオロ・パリージ 作、栗原俊秀 ディエゴ・マルティーナ 訳

＜前略＞本書は27歳で夭折したバスキアの光と闇をイタリアのイラストレーターが漫画のコマ割り形式で、赤、青、紫、薄黄の4色でグラフィカルな伝記的絵物語に仕立てた。色は鮮やかだが、全体に薄暗い死の空気が全ページに立ち込めている。
＜中略＞なんとなくミニマルでポップな色面絵画のように非感情的でフラットである。だからか、バスキアの資質とは逆のアンニュイな雰囲気から余計に市の空気が流れてくるのかもしれない。＜後略＞
（評者：横尾忠則　美術家）

**◉しんぶん赤旗　書評掲載　2023年8月27日**

『維新政治の内幕』　小西禎一、塩田 潤、福田 耕 著

＜前略＞

本書は「維新改革の右腕」と呼ばれた小西元大阪副知事（第一部）と抵抗運動を担った市民と研究者（第二部）が解き明かす、維新政治の内幕と大阪で維新「一強」を招いたカラクリだ。

「内」と「外」から迫る内容で、肌感覚に近い維新政治の実相がリアルに伝わる。

＜中略＞大阪の未来をめざす新たな住民運動の役割が大いに期待される。

（評者：有田洋明　大阪自治体労働組合総連合執行委員長）

## 花伝社ご案内

◆ご注文は、最寄りの書店または花伝社まで、電話・FAX・メール・ハガキなどで直接お申し込み下さい。
（花伝社から直送の場合、送料無料）
◆また「花伝社オンラインショップ」からもご購入いただけます。　https://kadensha.thebase.in
◆花伝社の本の発売元は共栄書房です。
◆花伝社の出版物についてのご意見・ご感想、企画についてのご意見・ご要望などもぜひお寄せください。
◆出版企画や原稿をお持ちの方は、お気軽にご相談ください。

〒101-0065　東京都千代田区西神田2-5-11 出版輸送ビル2F
電話　03-3263-3813　FAX　03-3239-8272
E-mail　info@kadensha.net　ホームページ　https://www.kadensha.net

# 愛読者カード

このたびは小社の本をお買い上げ頂き、ありがとうございます。今後の企画の参考とさせて頂きますのでお手数ですが、ご記入の上お送り下さい。

## 書名

本書についてのご感想をお聞かせ下さい。また、今後の出版物についてのご意見などを、お寄せ下さい。

## ◎購読注文書◎

ご注文日　　年　　月　　日

| 書　名 | 冊　数 |
|---|---|
| | |
| | |
| | |
| | |
| | |

代金は本の発送の際、振替用紙を同封いたしますのでそちらにてお支払いください。
なおご注文は TEL03-3263-3813 FAX03-3239-8272
また、花伝社オンラインショップ https://kadensha.thebase.in/
でも受け付けております。（送料無料）

郵便はがき

料金受取人払郵便

神田局
承認

1163

差出有効期間
2025年10月
31日まで

101－8791

507

東京都千代田区西神田
2-5-11出版輸送ビル2F
㈱花伝社 行

ふりがな
お名前

お電話

ご住所（〒　　　　　　）
（送り先）

◎新しい読者をご紹介ください。

ふりがな
お名前

お電話

ご住所（〒　　　　　　）
（送り先）

いたんですね。コロナのこともまだ情報が混乱していたし、ＳＮＳを見ると、みんな不安や不満を抱えていて、今にも爆発しそう、っていうふうに見えていたんですよ。そんな時に、何だか勝手に事が進んでいることがあるってことに、よりみんなが不安になっているって見えて、これはちょっと小さな風穴を開けた方がいいのではないかなと思って。それで自分も、意見を言ってみようかなと思ったんです」と話している。（２０２３年5月3日付朝日新聞）

２０２０年5月8日に「#検察庁法改正案に抗議します」というハッシュタグを付けたツイッターの投稿をした東京都の30代の女性会社員・笛美《ふえみ》さんは後日、こう発言している。

「お笑い芸人の『せやろがいおじさん』の動画を見て、都合がいい人を定年延長してモリカケサクラの問題から逃げようとしているように見えた。その後、コロナで在宅勤務の傍ら、国会を初めてユーチューブで見たんです。『お肉券』とか変な政策が出てきて『国会をみればわかるかも』と。見たら会社の打ち合わせよりお粗末。コロナでみんな大変なのに『この人たちが私たちの生活を決めているのか』って絶望的な気持ちになり、そこに検察庁法改正案が入って、いてもたってもいられなくなった」（２０２２年11月10日付朝日新聞）

一方で、小泉さんはコロナ禍になった直後、エンタメが窮地に陥ったことから他の俳優と一緒に共産党の機関紙「しんぶん赤旗」の取材を受けたあとのネット上の反応に対する失望も表明している。「そうしたら、小泉は共産党員だ、って言われて。私のシングル曲『まっ赤な女の子』にひっかけて『真っ赤になったおばさん』みたいに書かれたり、キョンキョンと共産党で『共ン共ン』だったり。私自身は、（思想が）右か左かとか、そういう意識って全然ないんですよね。いろんな考えがあっていいと思うんだけど、物事を単純に二極化させて、ツイッターっていう小さな世界の中でけんかをふっかけてくる、みたいな流れがずっと続いていて、最近すごくくだらなく見えてきました」と言っている。（2023年5月3日付朝日新聞）

「声なき声」はインターネットが普及する以前、集約されて事態を動かすまでにはなかなか至らなかった。瞬時にメッセージが伝わるインターネットによって、有名人が関わらなくても一人ひとりの声が世論となり、影響力をもたらすことが現実に起こっている。

2021年の全国高校野球選手権大会鳥取大会で、学校関係者が新型コロナウイルスに感染し初戦を前に出場を辞退した米子松蔭高校が不戦敗を取り消される異例の展開があった。この中で、主将の投稿したツイッターが反響を呼んだ。

米子松蔭は初戦が予定されていた7月17日の未明に学校関係者1人の感染が判明、学校を臨時休校にし、鳥取県高校野球連盟に辞退を伝えた。鳥取大会の新型コロナウイルス感染防止対策要領では、休校期間は大会に参加できないことになっていた。しかし、部員に濃厚接触者がいなかったことがわかり、大会復帰を求める嘆願書が野球部の後援会・保護者会などから出された。

西村虎之助主将（3年）は18日にツイッターで「試合もできずに、このまま終わってしまうのは、あまりにも辛《つら》いです」と投稿した（2021年7月22日付毎日新聞）。全国に共感が広がった。PCR検査で部員全員の陰性が確認されたことなどから、19日には県高野連が不戦敗を取り消し、対戦予定だった境高校と21日に試合することが決まった。保健所の判断で21日から学校が再開されることなども考慮された。春の県大会で優勝し第1シードだった米子松蔭は九回に3点を挙げ、境に逆転サヨナラ勝ちし8強入りを果たした。

ネット上での異議申し立てについて、ロンドン・スクール・オブ・エコノミクス・アンド・ポリティカルサイエンス（LSE）のニック・クドリー教授（メディア理論）は2018年の著書『メディア・社会・世界』（慶應義塾大学出版会、原著は2012年）でこう位置づけた。「ネットワーク化されたアクターは、NGO活動やサバティスタのような反乱者が形成する国際的なオンライン・ネットワークが興隆した一九九〇年代に顕在化した。そして一九九九年のシアトルにおけるWTO閣僚会議への反対運動の動員を経て、ネットワーク化された政治組織の新たな慣習が確立された。インターネットは非公式の政治的アクターがオンラインの実践を通じてコミュニティを形成・構築し、国内政治のさまざまな境界線に対して異議申し立てを行う新たな可能性をもたらしたのである」。そのうえで、ネットワークを通じた新たな政治的主体の出現について、「離れたところから匿名で行う政治活動が可能になったことで、報復や嫌がらせに対する恐怖といった政治活動を行ううえでの障害が緩和されたことが挙げられる」と指摘した。

## 2　性暴力を告発しネットで11万の署名を集めた元女性自衛官

陸上自衛隊郡山駐屯地（福島県）に所属していた元自衛官の五ノ井里奈さん（23）が訓練中に複数の男性隊員から性暴力を受けていた問題で、福島地検は2023年3月17日、同駐屯地の部隊に所属していた男性の元自衛官3人を強制わいせつ罪で在宅起訴した。地検郡山支部は22年5月に3人を不起訴としたが、22年9月に郡山検察審査会が「不起訴不当」と議決したのを受けて地検が再捜査していた。

地検などによると、21年8月3日夜、北海道内の演習場にある建物内で、格闘技の技でベッドにあおむけに押し倒した五ノ井さんに覆いかぶさって足を開かせ、衣服を着た状態で自分の下半身を五ノ井さんの下半身に接触させるなどしたとされる。五ノ井さんからの申告に基づき、警務隊が22年1月に3人を書類送検したが容疑不十分で不起訴になった。一方、五ノ井さんは22年6月に退職し、直後の6月末に動画投稿サイト「ユーチューブ」で被害を告発した。（2023年3月18日付毎日新聞）

実名で告発した五ノ井さんはオンライン署名サイト「Change.org（チェンジドットオーグ）」で11万筆を超える署名を集めて防衛省に事実の解明を迫った。防衛省は22年9月に性暴力と認定、10月に加害者の男性隊員4人が五ノ井さんに面会して謝罪した。12月には、性暴力に関わった隊員5人が懲戒免職になったのをはじめ、五ノ井さんの被害の訴えを受けながら調査しなかった中隊長を停職6カ月にするなど計9人が処分された。

自衛隊内部で訴えがもみ消されたことからわかるように、ユーチューブで訴えなければ性暴力が明るみに出なかった可能性が高い。また、ネットで生きづらさを訴える匿名の書き込みに対し、同じ境遇の人の書き込みに励まされることもあるかもしれない。見知らぬ人たちとの「連帯」が、支えとして力を発揮する場面はたしかにあるだろう。

五ノ井さんは「元消防士の方の『レスキューハウス』という番組で、被害を受けた女性消防士の動画があり、すがる思いで連絡しました。(街の人が自分の人生を語る)『街録ch(チャンネル)』にも連絡しました。撮影前にいろいろなリスクについて話がありました。レッテルを貼られる恐れがある、世の中から注目されないかもしれないといったことです。でも被害をなかったことにしたくなかった。自分は別に悪いことはしていないので、世論を味方にしたいと思いました」と語っている。(2022年11月26日付朝日新聞)

五ノ井さんが国と加害者の元隊員5人に計750万円の損害賠償を求めた訴訟の第1回口頭弁論が23年6月14日に横浜地裁であり、国は加害の事実を認めたが、請求の趣旨などが明らかになっていないと答弁を留保、元隊員は五ノ井さんの主張を認めた1人を除く4人は「性的暴行はなく、事実関係が異なる」などとして請求棄却を求めて争う姿勢を示した。4人のうち3人から加害について直接謝罪されていた五ノ井さんは「事実関係を認めない姿勢にショックを受けている。悲しさや悔しさ、怒りなどを感じる。謝罪は形だけだったんだなと思う。しっかり反省して罪を認めてほしい」と語った（2023年6月15日付毎日新聞）。元自衛官3人が起訴された刑事裁判でも、3人は2023年6月29日に福島地裁であった初公判で無罪を主張した。検察側は「宴会を盛り上げたいという自己中心的で身勝手な動機で犯行に及んだ」として3人に懲役2年を求刑。同年12月12日、3人に懲役2年執行猶予4年の判決が言い渡された。検察と被告側の双方が控訴せず、判決は確定した。米国務省は24年3月1日、五ノ井さんに「伝統的な日本社会でタブー視されてきた問題に光を当てた」として24年の「世界の勇気ある女性賞」を授与すると発表した。日本人の受賞は9年ぶり2人目。4日、ワシントンのホワイトハウスであった授賞式ではブリンケン国務長官から五ノ井さんに授与され、バイデン大統領の妻ジルさんも参加した。

インターネット上の主張は実名であるべきか、あるいは匿名でも認められるのか。東京大社会科学研究所教授（ネットワーク論）だった西垣通さんは1996年の著書『インターネットの5年後を読む』（光文社）で、「およそインターネットのなかでは、匿名性に守られて人間のさまざまな欲望が暴走する可能性が高い」「現在のインターネットはあまりに性善説にもとづいているため、さまざまな欲望の暴走にたいして防御が甘く、経済的・社会的混乱を招くおそれがないとはいえない」と指摘していた。そのうえで、「電子メディアのなかでは、顔を隠し、名前を変えることができます。ある意味では、いくらでも無責任で過激な発言ができるわけです。民主主義の基本とは、自分の肉体をさらし、場合によっては生命を賭けて主張するということではないでしょうか」と匿名の危険性を強調していた。

西垣さんは「インターネットの未来」をテーマにしたデジタルガレージ社長だった伊藤穰一さんとの翌97年の対談でも、実名主義を提唱した。「インターネットは発信もアクセスも実名でやれば、ほとんど問題は起きません。ポルノ情報を含め、実名を原則にして規制はしないというのが望ましいと思っています。しかし、ビジネスの世界では匿名性も必要となる。すると、匿名を認める場合と認めない場合が混在してきて、だんだんおかしくなってくる。インターネットはもともと広場みたいなもので、喋るほうも受けるほうも顔を晒して情報を交換し、規制もないが、そこに匿名性が入ってくると、規制がどうしても必要になってしまう」（月刊誌『論座』1997年11月号）

また、西垣さんは2023年の著書『超デジタル世界』（岩波新書）で、SNS利用者の匿名率が米英の3割程度に対し日本は7割を超えると指摘したうえで、「自分より弱い立場の相手への匿名攻撃はむろん抑制すべきだし、ネットで政治的意見表明をする際には実名で発言責任をとるのが民主主義の基本ルールなのは確かである」と主張した。ただ、「公人をはじめ権力をもつ強者の誤った言動を、一般人が不利益をこうむることなく批判するため」には、ネットでの匿名発言は「表現の自由」の一環をなしていると認め、「匿名や筆名による発言は、日本の伝統的コミュニケーションにおいて大切な役割をはたしてきた」と一定の評価をしている。

匿名の発信による誹謗中傷の被害が見過ごせないほど大きくなっているいま、意見を表明するときは、組織の中で名前を明かせない内部告発などを除けば、インターネット上でも実名を明らかにするという原則を設けることの議論をする時期に来ているのではないだろうか。

## 3　情報提供者を保護する匿名性

米メリーランドユニバーシティ・カレッジ大学院で教えるパトリシア・ウォレスさんは2018年に心理学の知見をもとに刊行した著書『新版　インターネットの心理学』（NTT出版、原著は2016年）で、ある状況では望ましい理由でネット上の『匿名性』が高く評価されるとして、「内部告発者や反体制派、情報提供者を保護するように働く」点をあげ、「弾圧国家にいる人々にとって、オンラインで匿名性を喪失することは生死にかかわる」と指摘している。その半面、匿名の好ましくない点として、中毒的脱抑制のブレーキを外し、オンラインでの攻撃に拍車をかけることをあげている。初期のオンラインディスカッショングループの一つのザ・ウェルでは、参加者の身元を知られない匿名会議で参加者が互いに秘密を暴露して攻撃するようになり、挙句の果てには悪質なやり方で別の誰かになりすまし、2週間後には会議室が閉鎖された。なりすましは、ネットいじめの行為の一環でキャラクターとして作られることもある。

ウォレスさんは「インターネットが登場する前であれば、人は身元を隠すため無記名で怒りの手紙を郵便受けに投げ込んだことだろう。いまは、公共のコンピュータを使い、急いで作った無料のメールアカウントからメールを送れば、手紙よりもはるかに低コストで大勢の人に届けられる。言い換えると、不機嫌な人はほとんど手間暇をかけないで、散々に荒しまわることができる」と述べている。

その一方、ウォレスさんはネットの利点も示している。「オンラインという舞台は、対面場面では困難な他者利用を可能にし、自己愛傾向のある人にとって魅力的な機会を提供する。たとえば、人はオンライン人格をかなり自分の好きなやり方で呈示でき、これによって自己愛者は自己宣伝を行い、人目を引くことができる」と指摘、「自己愛度の高い人ほど、実際の社交活動水準も高かった」というSNSサイトの分析結果を報告した。また、ウィキペディア編集や「ヤフー知恵袋」での回答などに見られるボランティア活動、切羽詰まった無名の一個人が資金調達の獲得を実現させるクラウドファンディングといった利他的で、反社会的行動とは対照的な向社会的行動の肯定的な貢献を高く評価している。さらに、「ネットの継続的拡大で、地球規模のつながりがいっそう広がり、きわめて安い費用でどこにいても学べるような教育機会がもたらされること」に期待を寄せる。「大規模公開オンライン講義（ＭＯＯＣ）は世界中の貧しい状態にある人や田舎にいる人も受講でき、とても多くのオンライン教材が製作されている。こうした動きは、教育を受けられないことで生じる人間の可能性における膨大な損失を小さくし、ひいては人々の政治意識を高める」と希望を託している。

## 4　放送と通信の融合の呼び水となった「ライブドア」

インターネットの普及によってネットに関わる企業が売上高と資金力を伸ばし、マスメディアで最も大きい影響力を誇ったテレビ局の買収を試みた結果、一線が画されていたネット（通信）とテレビ（放送）の関係を変えていった。

２００５年、ネット関連会社のライブドアがラジオ局・ニッポン放送の株式を大量に取得するなど、新興ネット企業によるマスメディア買収の動きが相次いだ。

堀江貴文社長がオン・ザ・エッヂとして１９９６年に創業したライブドアはグループ会社を通じ05年2月8日、東証二部上場のニッポン放送の発行済み株式の35％をグループで取得した、と発表した。当時、堀江社長はプロ野球再編で近鉄バファローズの買収と仙台への本拠地移転に名乗りを上げたことで注目を集めていたネット起業家だった。ニッポン放送はフジテレビ株の22・5％を保有する筆頭株主。ニッポン放送の筆頭株主になることにより、フジテレビへの支配をめざす動きと受け止められた。８日の記者会見で堀江社長は株式取得の狙いについて、「ラジオのリスナーとインターネットの利用者と関係が深くなっており、協業できると考えた。テレビ局は視聴者と直接つながる接点を持っていない。インターネットを利用すれば双方向の接点を獲得でき、手数料収入やコンテンツ販売ができる」と語り、既存メディアとインターネットの相乗効果を掲げた。

この買収劇の前、堀江社長は「新聞、テレビを支配下に入れたり、その融合を考えている。最終的にはすべてインターネットになるわけだから、いかに新聞、テレビを殺していくかが問題。そのとき、自分の傘下に置いておいたほうが殺しやすい」と表明していた。（２００４年12月25日・２００５年1月1日新年合併号『週刊ダイヤモンド』）

フジサンケイグループの産経新聞は05年2月18日の社説「主張」で「産経を支配するって？少し考えて言ったらどうか」という見出しで強い反発を示した。「経済合理性の観点からメディア戦略を構築しようとしているだけで、言論・報道機関を言論性でなく、むしろそうした色合いをできるだけ薄めた情報娯楽産業としかみていないのは驚くべきことといわなければならない」「堀江氏の発言からメディア集団に深くかかわることへの気概や、責任の重さに対する、ある種の畏れが感じられなかったのは残念である」と論じた。

ライブドアとフジテレビの間でニッポン放送株の争奪戦が約2カ月間繰り広げられた末、4月18日、両社は業務・資本提携を結ぶことで和解した。フジテレビがライブドアの４４０億円の第三者割当増資に応じて同社株12・75％を保有し、ライブドアグループの保有するニッポン放送株50％超をフジサンケイグループに1株６３００円で譲渡する条件で合意した。フジテレビはライブドアに総額約１４７３億円支払いニッポン放送を完全子会社化し、両社とニッポン放送による業務提携推進委員会も設置されることになった。

フジテレビはもともと1月17日、ニッポン放送株を1株5950円の株式公開買い付け（TOB）で1705億円をかけ完全子会社化する、と発表していた。ライブドアへの出資や増配などでフジテレビは当初の計画より888億円の負担増となった。2月24日にライブドアがニッポン放送による新株予約権の発行差し止めを求め、東京地裁に仮処分申請するなど法廷闘争にも発展。3月24日にニッポン放送が保有するフジテレビ株をソフトバンク・インベストメント（SBI）に5年間貸し出すことで合意するという経緯を経て決着した。（2005年4月19日付日本経済新聞）

堀江さんは自叙伝と位置づけた2015年の著書『我が闘争』（幻冬舎）で、06年1月に証券取引法違反容疑で東京地検特捜部に逮捕され、懲役2年6カ月の実刑判決は確定したあと11年6月に収監され13年3月に仮釈放された人生をたどりながら、ニッポン放送株の大量取得に至る心境を、こう振り返っている。

「僕自身も低予算で作られたのであろう番組のレベルの低さや、安っぽい脚本とうすっぺらい演技のドラマのくだらなさには、怒りを超えて空しさすら覚えることも多く、本当に興味のあるドキュメンタリー番組しか見ないという人間だった。テレビが現在抱えている膨大な数の視聴者を、インターネットメディア側に引きつけられるのは、あと1、2年くらいのことだろうと思っていた。しかし04年6月からのプロ野球参入表明後の騒動で、テレビの影響力を身をもって感じた僕の考えは少し変わっていた。『限られた時間の中ではあっても、テレビを利用しない手はない』。なにせあの騒動の広告効果は100億くらいあったと思っているのだ。ライブドアの知名度をさらに上げるために、テレビメディアと直接的に関わる方法がないものか。はっきり言えば、テレビ画面にライブドアのURLをできるだけ長い時間表示するために、できることはないだろうかと考え続けていた」

フジテレビがライブドアの持つニッポン放送株をすべて買い取るとともに、ライブドアの第三者割当によって440億円分の株式（12・75％）の株式を取得するという和解は、「衰退するテレビに僕は将来を見ていない。利用価値のある1、2年の間にライブドアのポータルサイトのページビューを上げるため、利用できるところは利用する」と考えていた堀江さんの立場から「確かに金銭的には悪い取引ではなかった。しかし業務提携という点ではなんの決定権ももたない形で終わったことを考えれば、僕の中でこのディールは失敗なのである」と総括している。（『我が闘争』）

ライブドアによるニッポン放送買収劇を受け、民放局は買収防衛策を講じた。TBSは05年5月18日、敵対的買収の防衛策として①第三者割り当てによる新株予約権発行②株式分割――の2項目を発表した。保有資産に対して株価が割安で買収の標的になりやすいといわれ、買収防衛策の整備が不可欠と判断した。（05年5月19日付毎日新聞）。TBSはさらに8月31日、電通、ビックカメラ、三井物産、毎日放送の4社に、第三者割当増資とTBS保有の自己株売却で、280億円分を引き受けてもらう。と発表した。調達資金のうち100億円は、携帯電話事業への参入をめざすＡＤＳＬ（非対称デジタル加入者線）大手イー・アクセスの子会社に出資、携帯電話網での有料番組の配信などを進める考えだ。（05年9月1日付日本経済新聞）

しかし、その直後の05年10月13日、ネット通販大手の楽天がＴＢＳ株15・46％を取得し、ＴＢＳに共同持ち株会社による経営統合を申し入れたことを明らかにした。97年に設立された楽天は筆頭株主に躍り出て、インターネットと放送の融合による電子商取引との連動を提案した。楽天は11月30日に経営統合の提案をいったん取り下げ、業務提携委員会を発足させるとともに出資比率などを06年3月末までに協議するという覚書をＴＢＳと締結した。だが、「敵対的行為」と受け止めていたＴＢＳとの溝は埋まらなかった。持ち株比率が20％を超えると買収防衛策を発動できるＴＢＳとの合意は得られず、保有比率19％超まで買い進めた楽天は結局、09年3月31日、株式をＴＢＳホールディングスに売却することを決めた。ＴＢＳは4月から「認定放送持ち株会社」に移行するため、株主総会で拒否権を使えるほどの大株主は認められなくなり、ＴＢＳの子会社化も不可能となった。約１２００億円をかけ取得した株の価値は約４８９億円まで下がり、楽天は08年12月期連結決算で特別損失約６５０億円を計上した。

ネット事業者の攻勢に対し、通信事業に慎重だった民放テレビキー局は、受け身ながらも「放送と通信の融合」に取り組み始めた。日本テレビは05年7月、パソコン向けの有料配信「第2日本テレビ」を10月から始める、と発表した。過去のバラエティー番組のほか、ネット配信専用の新番組を用意する、と発表した。（２００５年7月20日付日本経済新聞）

フジテレビも08年11月、動画配信サイト「フジテレビオンデマンド」で一部の人気番組の見逃し視聴を始めた。翌12月にはNHKが見逃し番組と過去の名番組の本格的なサービスに踏み切り、他の民放も参入した。しかし、ただで番組を見られる慣習は根強く、有料配信の売り上げは伸び悩んだ。このため、フジテレビオンデマンドでは09年12月から「ドラマレジェンドワンコイン祭」を始め、1話315円だったのを、「東京ラブストーリー」などヒットした20作品を1話105円で見られるように値下げ、反響を集めた。

日本テレビは米huluの日本事業を買収し、14年4月から定額制動画配信サービスに参入。テレビ朝日は15年4月、IT大手サイバーエージェントと共同出資で動画配信会社アベマTVとアベマニュースを設立し、16年4月にインターネット放送局としてアベマTVが開局した。

海外からも豊富な資金力を誇る動画配信サービスが相次いで日本に上陸した。米アマゾン・ドット・コムは15年9月から日本の有料会員向けに追加料金なしで動画見放題のサービスを開始。動画配信の世界最大手の米ネットフリックスも9月からサービスを始めた。

これに対し、15年10月には、在京民放キー5局が広告つきの無料動画配信サービス「TVer(ティーバー)」を共同で始めた。各局で放送したドラマやバラエティー番組などを1週間、無料で配信する内容で、プレゼントキャスト(現TVer)の運営で始められた。

制作費をかけたドラマの話題作などで順調に成長してきたネットフリックスだったが、2023年1～3月期の世界の有料会員数が2億3250万人と、市場の予想を下回った。4月18

日に発表された数字は前期から175万人増えたものの、成長の鈍化が明らかになり、アカウントの「使い回し」対策を強化することになった。1～3月期の売上高は前年同期比約4％増の約82億ドル（約1・1兆円）、純利益は18％減の13億ドル（約1700億円）だった。コロナ禍の巣ごもり需要に恵まれたが、有料会員の伸び悩みが起こった。

買収劇で放送局のあり方を揺さぶった当事者だった実業家の堀江さんは、2021年の著書『非常識に生きる』（小学館集英社プロダクション）では「既得権益に守られていた会社組織やグループ体制は、急速に力を失い、スマホを駆使して行動する人の存在感が高まっている。大手メディアの発信力が最強という、メディアの常識は、ほぼ覆った。1％の視聴率より、個人のTwitterで1万リツイートされる情報の方が、社会には影響力があるだろう」と述べ、テレビに対するインターネットの情報の優位性はスマホの出現で決着がついた、と宣言した。公判中に日本を脱出しレバノンに滞在していたカルロス・ゴーンさんに、堀江さん自身が20年3月初め、単独インタビューし対談した動画を自分のYouTubeチャンネルで公開し、あっという間に200万回を超える再生を記録した。大手テレビ局が接触できないニュースバリューの高い情報を個人で獲得できる時代になった、と誇った。

そして、「テレビが社会に残っているのは、単に惰性だ。視聴者の大部分は『家にあるから見ている』人たちだと思う。テレビというメディアに価値が残っているとすれば、歴史と伝統ぐらいだ。実質的にはオワコンと化している。一方で歴史と伝統は、意外と強いのも事実だ。

登録者数が数十万人クラスの人気YouTuberが、自分のチャンネルで、テレビ出演のオファーを大喜びしているのを見ると、なんで？　と不思議に思う。世間一般においては、テレビはもう少し、最大のメディアであり続けるのだろう。実質的には、発信する最強のプラットフォームは、もはや個人の手に移っている」「ライブドアを経営している時代までは、稼働時間の割には宣伝効果のコストパフォーマンスがよかった。スケジュールの許すときは、積極的にテレビに出ていた。でも近頃は、ひどく悪い。拘束時間が長すぎる。ギャラも驚くほど安い。コメンテーターで出演しても、しょうもない質問しかされないし、ウザい共演者に絡まれる。好きなことをTwitterで呟いて炎上した方が、広告宣伝のコストパフォーマンスはいい。公式動画を磨いていく方が、はるかに効率的だ」と言い切っている。

さらに、「さまざまな思考やスキルを持った個人が、組織や審査機関のフィルターを通さず、ダイレクトに全世界へ発信できるようになった。ＳＮＳの出現により、情報は完全に民主化を果たしたのだ」とうたい上げている。一世を風靡した堀江さんはその後に証券取引法違反などに問われ起訴され実刑判決を受けたライブドア事件について「僕は元の部下だった人たちに裏切られた。あまりにも理不尽な手のひら返しの裏切りで、普通なら人間不信に陥ってもおかしくなかっただろう」と述懐している。

しかし、その一方、事件で同様に起訴された元ライブドア取締役の宮内亮治さんは07年の著書『虚構』（講談社）で堀江さんを「天才」と認めつつ「人に責任転嫁するうちに、それが正しいと自己暗示をかけることもできるようだ。これは、今回の事件を通じて知った、堀江の一面だった」と突き放している。堀江さんがいう「情報の民主化」の内実には異論があるかもしれないが、メディアにおけるネットやSNSの利用頻度や影響力が増大してきたのは間違いないだろう。

結局、ネット事業者からの買収をテレビ局は何とか避けられた。しかし、利用者がテレビからネットに向かう流れは変えようがなかった。2015年7月にNHKが発表した「日本人とテレビ」の調査で、ビデオやDVDの再生を除く「テレビを見る時間」(全体の視聴時間)が1985年の調査開始以来初めて短くなった。逆に接触が増えているメディアはインターネットだった。

15年2～3月に全国の16歳以上の男女3600人を対象とした調査(回答率67・8%)では、10年に比べ、1日に4時間以上見る「長時間」視聴が40%から37%に減る一方、30分～2時間見る「短時間」視聴が35%から38%に増え、3時間見る「普通」視聴が21%から19%にやや減った。テレビと接触するのが「毎日のように」と答えた人も、5年前の84%から79%に減少した。

テレビ離れは20代から50代まで幅広い年代で見られた。テレビを「ほとんど、まったく見ない」人が20代では8%から16%に5年間で倍増、30代でも8%から13%に増えた。「テレビよりインターネットの動画のほうが面白いと思う」と答えた比率は、10代が66%(10年は48%)、

20代で54％（同44％）と過半数となった。

インターネットがいち早く普及した米国で、ニュース番組の視聴率低下との関係を指摘する声がある。メディア・コミュニケーションを専門とする渡辺将人・北海道大准教授は、2020年の著書『メディアが動かすアメリカ』（ちくま新書）で述べている。「ネットワークの夕方ニュースの視聴率は、ニールセン調査では一九八〇年時点で三局の差はあれども平均一二％から一六％だった。しかし、一九九〇年までの一〇年で平均一〇％前後から一一％ほどに落ち込み、一九九〇年代の間に平均七％から一〇％に激減した。そして二〇〇二年には、ついにどの局も単独で二桁を取れなくなる、二〇一〇年には最下位のCBSは平均四％、首位のNBCですら平均六％という惨めな状況に陥った。無論、視聴率の下落はインターネット普及と軌を一にしており、テレビ視聴の習慣全体の低迷とも関係している」

## 5　フェイスブックとツイッターが後押しした「アラブの春」

インターネットの進展は人々のメディアに対する接し方だけでなく、国の体制を覆す突破口にもなりえることを示したのが「アラブの春」だった。

2011年、チュニジアのベンアリ大統領を皮切りに、エジプトのムバラク大統領やリビアのカダフィ最高指導者など長年の独裁政権が相次いで崩壊する「アラブの春」が起きた。反旗を翻す抗議活動を広めたのが、フェイスブックやツイッターなどのＳＮＳであり、インターネットと深く結びついた革命だった。

最初に動きがあったチュニジアでは２０１０年12月、無許可営業を警察に指摘された青果商の若い男性がネット上で抗議を表明したあと、焼身自殺する模様が写真や動画で拡散された。高い失業率などへの不満からくる反政府デモにより11年1月、ベンアリ大統領が国外脱出し23年間の独裁政権が崩壊するジャスミン革命が起きた。

その直後、エジプトではフェイスブックでデモへの参加が呼びかけられ、多くの動員によって革命が動き始めたといわれる。フェイスブックやツイッターを通じアラビア語で発信された抗議は、アラブ諸国に広がった。

国際関係論などを専門とする清泉女子大准教授だった山本達也さんは２０１４年の著書『革命と騒乱のエジプト』（慶應義塾大学出版会）で、「ソーシャルメディアは、小さな街のニュースを全世界的なニュースへと増幅させるきっかけとなったのみならず、実際に人々を街頭へと駆り立てる動員のためのツールとしても機能した。ソーシャルメディアに端を発したデモ隊は、政府側の予想を超える規模にまで発展することになった」と位置づけた。さらに、「ソーシャルメディアは、エジプトの人々に『われわれは一人ではないのだ』、『同じフラストレーションを溜めている人々は他にもいるのだ』、『同じ夢を共有している人々がいるのだ』、『多くの人が自由を気にかけているのだ』ということを気づかせた。こうしたソーシャルメディアを介した

『心理的な連帯』と『想いの同期化』が、これまでのエジプト社会で人々を行動に転化させることなく思いとどまらせていた『恐怖の心理的な壁』を乗り越えさせたという」と背景を読み解いている。

1996年に放送を始めたカタールの衛星放送アルジャジーラで主幹を務めたワダー・ハンファルさんは「アルジャジーラはニュースを批判的に見る方法を持ち込んだ。人びとはこれまで疑いもしなかった公式発表の出来事について考え、分析し、判断できるようになった。アラブ世界の覚醒を促し、それが『アラブの春』につながったといえる。だが、最大の要因は人々だろう。アラブ民衆は現実を受け入れることを拒み、前へ進むことを決めた。インターネットやSNSによって考えを交わし、将来のあるべき姿について想像力を働かせるようになった。党派性を持たず、イデオロギー的なものでもない想像力を身につけた新たな世代こそが、沈黙の壁、独裁の壁を破ることができたのだ」と語った。（2013年7月4日付朝日新聞）

トルコ出身のテクノ社会学者であるゼイナップ・トゥフェックチー米ノースカロライナ大准教授は、2018年の著書『ツイッターと催涙ガス』（Pヴァイン、原著は2017年）で、アルジャジーラとともに、2009年からアラビア語でも使えるようになったフェイスブックがアラブ世界の一般大衆に浸透したデジタル技術が状況を変えた、と指摘した。デジタルを巧みに扱う活動家のコミュニティがあったとして、焼身自殺があった町での「抗議者たちの画像は、チュニジア国内外にあっという間に広がった」、「二〇一一年のエジプトでは、インターネットを使っていたのは国民の二十五％だけ、フェイスブックを使っていたのはさらに少数だったが、サイトを見たことがない人どうしの会話も含め、公的な場での議論全体を変えるだけの力があった」と分析した。

その一方で、東京大教授（情報ネットワーク論）となった木村忠正さんは２０１２年の著書『デジタルネイティブの時代』（平凡社新書）で、米ワシントン大のツイッター分析などを踏まえ、「ソーシャルメディアの利用がジャスミン革命において反政府運動を促進したのは間違いない」としながらも、「ジャスミン革命やエジプト革命が、デジタルネイティブたちのフェイスブック、ツイッター活用により成し遂げられたというのはあまりに短絡的な議論である。当たり前のことだが、強力な反政府活動が生じたのは、長年にわたる独裁体制、言論弾圧、権力乱用、汚職、腐敗に対する強い市民の憤りがあったからこそである」と釘を刺す。実際に抗議運動に身を投じた人の情報の流通や連絡は「クチコミ、衛星テレビ、携帯電話」と、米スタンフォード大研究員の指摘をもとに挙げている。日常生活に深く浸透し、反政府活動での連絡に大きな役割を果たしたのは携帯電話、とりわけＳＭＳ（ショートメッセージサービス）だった。木村教授は「オンラインによる反政府活動は、実は、国内の弾圧を逃れたディアスポラ（国外離散者）たちにより担われ、国際世論を醸成する大きな役割を果たすことになる」とも述べている。

米バージニア大のシヴァ・ヴァイディアナサン教授も著書『アンチソーシャルメディア』（ディスカヴァー・トゥエンティワン、２０２０年、原著は２０１８年）で、「フェイスブックの存在が抗議デモを可能にしたり、デモの起きる可能性を高めたり、規模を大きくしたりするのではない。情報や計画に共通の関心を示した多くの人々に注意喚起をうながしやすく、組織化の初期段階で生じる取引コストを下げてくれるのだ」とＳＮＳへの過大評価を戒めている。

ちなみに、ジャーナリストの津田大介さんは２０１２年の著書『動員の革命』（中公新書ラクレ）で、ソーシャルメディアが社会システムに影響を与える存在として体制側の大きな脅威になった最初の例として、チュニジアのジャスミン革命が起きる2年前の２００９年にモルドバであった抗議行動を挙げている。４月にあった議会選挙での共産党の勝利に対して、選挙の不正を指摘する野党支持者を中心に抗議行動が本格化し、ソーシャルメディアを通じた「広場に行ってデモをしよう」という呼びかけで数万人が集まった。インターネットというオープンな場での情報交換は政府側にも筒抜けで、治安維持部隊に半日で鎮圧されたが、抗議行動のつぶやきの拡散が火種になって、同じ年の7月にあった選挙では共産党が敗北、下野する結果になった。さらに、同じ年の6月にあったイランの大統領選で、現職大統領の対立候補が不正を指摘し選挙のやり直しを求める民主化運動を始めた際、対立候補を支持する学生たちがツイッターで発信した情報がヨーロッパやアメリカを駆けめぐった。民主化運動は1カ月ほどで鎮圧されたが、盗聴などで情報を統制しようとする国家での政治運動にツイッターが使えることを知らしめるきっかけになった。

# 第Ⅴ章

# フェイクニュースに蝕まれる世界

## 1　拡散力が強い偽情報

２０２４年１月１日に最大震度７を記録した能登半島地震では、ＳＮＳのＸで「地震は人工地震の可能性がある」といった偽情報の投稿が相次いだ。閲覧回数やフォロワー数で一定数以上の条件を満たせば23年夏から広告収益の一部が配分されるようになったXのシステムを利用した金もうけのために、「倒壊した家屋に家族が閉じ込められた」といったデマや能登半島地震とは違う東日本大震災の映像の投稿があった、と見られている。パキスタンなど海外からの投稿も指摘されている。閲覧回数（インプレッション）を稼ぐための迷惑行為をするアカウントは、ブロックなどの機能をしても同様のアカウントがゾンビのように出現することから「インプレゾンビ」と呼ばれている。

偽情報を捏造する技術は、進歩を止めない。人工知能（ＡＩ）を利用し、本物とそっくりの写真のみならず、動画や音声を合成して改ざんするのは現実のものとなっている。

解説者・著述家・政治アドバイザーのニーナ・シックさんは２０２１年の著書『ディープフェイク』（日経ナショナルジオグラフィック社、原著は２０２０年）において、ＡＩのディープラーニングによる合成メディアの作成で顔の入れ替えが可能になったのは２０１４年と伝えている。米国の研究者イアン・Ｊ・グッドフェローさんが「ＧＡＮ」とよばれるディープラーニングシステムを発明、その後、画質は急速に向上し完璧な写真が作り出されるようになった。米フロリダのサルバドール・ダリ美術館ではＡＩを使って『ダリ・ライブ』という展示を実現、シュールレアリズムの芸術家ダリを合成メディアによってよみがえらせた。

シックさんは、２０１６年の米大統領選でロシアが干渉したことを、17年にＣＩＡ（中央情報局）とＦＢＩ（連邦捜査局）、ＮＳＡ（国家安全保障局）、国家情報長官室という情報機関が共同声明で発表したことにふれ、「民主主義に対する組織的かつ直接的な攻撃を仕掛けるという、これまでに類を見ない厚かましい作戦を実行したのだ」と非難した。

ロシアは関与を否定したが、攻撃は「投票システムのハッキング」「民主党全国委員会とヒラリー・クリントン陣営を標的にしたハッキング」「ロシア企業インターネット・リサーチ・エージェンシー（ＩＲＡ）によるソーシャルメディアを使った偽情報作戦での米国市民の混乱と分断」の3項目で構成されていた。ＩＲＡは「クリントン氏は黒人を気にかけていないので、選挙戦に黒人は加わるべきでない」というデマを投稿したり、民主党左派を取り込むためにバーニー・サンダース候補を支持するコンテンツを作成したという。

山口真一・国際大准教授は「つい最近までは、人物を含む偽画像の多くは、指や髪の毛に違和感があるなど、気を付けて検証すれば人の目でも見極められるものであった。しかし、日に日にそのクオリティーは上がり、もう1、2年のうちに、人の目では確認が極めて困難になると予想される」と述べている。（２０２３年6月9日付朝日新聞）

科学者・起業家・投資家のシナン・アラルさんも2022年の著書『デマの影響力』（ダイヤモンド社、原著は2020年）で、「フェイク・ニュースは、真実のニュースよりもはるかに速く、はるかに広範囲に拡散されていたのだ。（中略）真実のニュースが一〇〇〇人以上に広まるのは稀だったが、上位一パーセントのフェイク・ニュースは、一〇万人くらいに拡散されるのが普通だった。真実のニュースはフェイク・ニュースに比べて、一五〇〇人に広まるのに約六倍の時間がかかっていた」と指摘している。

アラルさんは、「トランプ支持者の四〇パーセントと、クリントン支持者の一五パーセントがトランプ有利のフェイク・ニュースを読み、クリントン支持者の一一パーセントと、トランプ支持者の三パーセントがクリントン有利のフェーク・ニュースを読んでいたことがわかった」という調査結果を紹介している。自分が好むニュースだけを見聞きしているわけではないことを示しているが、「穏健なクリントン支持者や、中間でどちらにつこうか態度を決めかねている人たちは、親クリントンのフェイク・ニュースよりも親トランプのフェイク・ニュースに反応する割合が多かった」とも述べている。

また、偽情報の拡散にフェイスブックなどが関わってきたことから、「ソーシャル・メディア企業には、広告主からの『行ないを改めよ』という圧力もある。P&G（プロクター・アンド・ギャンブル）の最高ブランド責任者、マーク・プリチャードは二〇一七年、グーグルやフェイスブックなどのプラットフォーム企業のデジタル広告には透明性が欠如していると公に痛烈に批判した。特に、フェイク・ニュースや、攻撃的で下品なコンテンツのそばに広告が表示されることに不満を露わにした」と、アラル氏は別の問題点も明らかにした。

フェイクニュースは下品なイメージをふりまくという印象論にとどまらない事態が起こっている。２０２０年の米大統領選をめぐり、「不正に集計結果が操作された」とする虚偽の報道で名誉を毀損されたとして、投票機器メーカーが米ＦＯＸニュースに16億ドル（約２１００億円）の損害賠償を求めた訴訟で、２０２３年4月18日、ＦＯＸが7億８７５０万ドル（約１０００億円）を支払うことで和解した。トランプ前大統領らによる根拠のない主張を報道で拡散した大手メディアの責任が問われた。裁判所はトランプ氏側の主張が事実でないと認定、ＦＯＸが虚偽だと認識しながら報じていたかが焦点だったが、裁判での認定はされない形で終結した。

また、２０２１年1月に群衆が米連邦議会を襲撃した事件で、トランプ前大統領は23年8月1日、「連邦政府の根幹となる機能」を脅かし、国民を欺き続けたとして3度目の起訴を受けた。バイデン氏の当選を承認しないよう圧力をかけるなどの不正を画策、虚偽を支持者に信じ込ませ議会襲撃につなげた。連邦大陪審は、大統領選の集計・認証の妨害、投票しその集計に反映してもらうという有権者の権利を侵害したなどとして、四つの罪で起訴したが、トランプ氏は3日、連邦地裁に出廷し罪状認否で無罪を主張した。

## 2　陰謀論を掲げる「Qアノン」

２０１７年10月、Qと名乗る人物がインターネット掲示板「４ｃｈａｎ」への投稿を始め、ＳＮＳを使って陰謀論を拡散する「Qアノン」が一歩を踏み出した。

米政府や経済界を「ディープステート」（闇の政府）が支配し、立ち向かう救世主がトランプ前大統領だと主張。20年の大統領選でトランプ候補が敗れると、Qアノン信奉者らが次期大統領選出手続きを阻止する運動を始め、21年１月の米連邦議会議事堂占拠事件の引き金となった。新型コロナウイルスワクチン否定論もQアノンを通じて拡散した。「米政府やメディア、金融界は悪魔を崇拝する小児性愛者の集団に支配されている」というQアノンの陰謀論に、米国民の５％が「完全に賛同」、13％が「おおむね賛同」という22年３月の米公共宗教研究所の世論調査結果もある。（２０２３年２月２日付読売新聞）

トランプ前大統領の支持者らが米連邦議会議事堂を襲撃した事件は、ＳＮＳで広まった誤情報が危険を招いた例だ。フェイスブックの内部文書からは、危機感を抱きながら対応が後手に回った様子が浮かんだ。フェイスブックは20年の大統領選で、トランプ発言に何度も警告を出し、陰謀論を広めるアカウントは積極的に削除した。しかし、投開票日後、根拠のない「不正投票」の主張が拡散したのに対し、フェイスブックはまとまりのある運動としてはみていなかった。フェイスブックの基準に違反した個別グループを削除できても、運動全体への対応は遅れた。（2022年1月19日付朝日新聞）

22年12月には、ドイツでクーデターを企てたとして、貴族「ロイス家」の末裔や女性判事、元ドイツ軍中佐ら25人が逮捕された。連邦議会を襲撃して閣僚や議員を拘束し、決起を全国に波及させて政権を奪って首謀者のハインリヒ13世を名乗る男が元首になるという計画だったという。SNSでメンバーは共鳴し合い、メッセージを消去すると復元が難しい秘匿性の高いテレグラムで連絡を取っていた、といわれる。

日本でも、「Qアノン」から派生したとされ、新型コロナウイルスの反ワクチン団体「神真都《やまと》Q会」の元幹部やメンバーら5人が22年12月、ワクチン接種会場に無断で立ち入ったとして建造物侵入の罪に問われ、東京地裁で執行猶予つきの有罪判決を受けた。判決では、元リーダー格で「岡本一兵衛」と名乗っていた倉岡宏行被告（44）らが接種会場の東京都渋谷区のクリニックなどに押し入った、と認定された。神真都Q会の結成宣言には「最悪最強巨大権力支配から『多くの命、子どもたち、世界』を救い守る」などと記され、21年10月ごろからインターネット上で信奉者が増え始め、22年1月には全国で大規模デモを始めた。（2022年12月23日付朝日新聞）

陰謀論が広がる背景について「優越感の欲求」の存在をあげるのは山口真一・国際大准教授だ。『他の人が持っていない情報を自分は持ち、真実を知っている』と考えたり、それをアピールすることが、気持ち良いのである。こういった欲求自体は誰もが持っているものであるが、その欲求が強すぎると、陰謀論にのめりこんでしまうのだ」

山口准教授は「コロナワクチンは人口減少をもくろんだものだ」という実在する陰謀論を使って人々の行動を分析したことがある。日本在住の1万9989人を対象にした調査で、「コロナワクチンによる人口減少」という陰謀論を知っている人は全体の4・2%で、このうち11・1%が情報を信じ、31・4%が正しいかどうかわからない、と回答した。少なくない割合の人が誤っていると気づいていなかった。（2022年9月9日付朝日新聞）

## 3　50歳以上とまとめサイトで目立つ陰謀論的信念

ソーシャルメディアでは根も葉もない情報が発信され、受容されやすい空間となっているのではないかという疑問について、実証的なデータで迫った研究者がいる。秦正樹・京都府立大准教授（政治学）は2021年8月、楽天インサイトのパネルモニター（全国の男女18歳以上）2001人を対象としたアンケート調査で、伝統的メディアとソーシャルメディアの利用頻度が「陰謀論的思考」にどの程度関連するかについて回帰分析を通して検討した。その結果、「陰謀論的信念の高さと関連するメディアとして指摘できるのは、ヤフコメ（Yahoo!ニュースコメント欄）と民放の報道番組の2つ」であり、「NHK、新聞、ツイッターの利用頻度の高さは陰謀論的信念の低さと関連している」という結論を導いた。

世代別の分析では、「50歳以上のシニア層はまとめサイトの利用と陰謀論的信念の高さに関連があるが、若年層（18〜29歳）やミドル層（30〜49歳）にはそうした関係性は見られない」という傾向を確認した。こうしたことから、「SNSの利用と陰謀論受容の間には強い関係がある」といった言説は、必ずしも正確とは言えない部分もある、と位置づけた。

「自分は踊らされないが、世の中の多くの人はメディアに誘導されたりだまされたりしている」と考える「第三者効果」について、陰謀論をテーマに秦准教授は22年2月、全国の男女2565人を対象にウェブ調査した。その結果、陰謀論の受容に関しても第三者効果が働いていた。メディアへの接触から分析すると、ツイッターを多く利用しているほど第三者効果がより強化されていた。秦准教授は「ツイッターは陰謀論を蔓延させる『悪いメディア』であるという印象が一般に持たれているかもしれない。しかし、このような見方は実態とはやや異なるものだと言える」と述べている。また、ヤフコメの閲覧頻度や民放のソフトニュース、NHKの視聴が多くなるほど、他者より自分自身が陰謀論の影響を受けている可能性を考慮していた。

秦准教授は「ツイッター上で触れる話題は極めて日常的な出来事についてのものが中心で、社会的・政治的な出来事についての情報を目にする機会は必ずしも多くないのかもしれない」「ヤフコメのトップには、識者のコメントを優先的に掲載するなど、ユーザー自身が『冷静さ』を取り戻すための仕掛けが用意され、こうした取り組みが功を奏していることの傍証かもしれない」「ある社会的・政治的問題に関心を持った時点で、『私だって陰謀論にだまされるかもしれない』と考えておくこともまた、ユーザー1人ひとりができる対策として有効であるといえよう」と指摘している。(『陰謀論』、中公新書、2022年)

偽情報・誤情報が氾濫し、メディアの信頼度の低下は民主主義の危機的状況にある、と報告するのは、米ニューヨークに在住するジャーナリスト津山恵子さんだ。米ヤフーが2022年9月、人工知能(AI)を使ってニュース記事の信頼性をランク付けするウェブサイト「ザ・ファクチュアル」を買収したと発表した。19年に始まったファクチュアルは①ニュースの発信源に政治的なバイアスがなく品質が保たれているか②筆者がきちんとリサーチし専門知識があるか③直接取材の程度、をAIにより1日1万本以上の記事を解析。記事の信頼性・信憑性を1〜100%の数値でランク付けし、75%以上は「極めて参考になる」記事で、50%以下は「参考にならない」とみなされる。

今回の買収の背景には、米市民の「ニュース離れ」がある。米世論調査機関ギャラップによると、米国人が主要メディアに抱く信頼は今年、同社が調査を始めてから過去最低の水準に落ち込んだ。新聞への信頼度は成人全体の16%、テレビニュースは11%と前年比でそれぞれ5ポイント減少した。新聞の発行部数がピークで、CNNなどケーブル電視台の成長期に当たる1993年には、新聞31%、テレビは46%だった。(2022年10月14日付朝日新聞)

日本では、公正取引委員会の杉本和行委員長が2019年9月、日本記者クラブでの会見で、プラットフォーマーと呼ばれる巨大ＩＴ企業は「意図的に虚偽情報を拡散した人が締め出される枠組みを考える必要がある」と発言した。「フェイクニュースやヘイトスピーチ的な情報、犯罪をあおるような情報などが流れれば、その情報に接した人に不利益になる」と懸念を示し、「信頼できない情報を流す情報提供先が排除され、良質な情報を流すところが選択される」ことの重要性を強調した。

また、災害時に偽情報が広がった例などを踏まえ、総務省の有識者会議「プラットフォームサービスに関する研究会」が２０２０年２月、巨大ＩＴ企業にフェイクニュース対策の実施などを求めた最終報告書をまとめた。グーグルなどの海外企業を電気通信事業法の規制対象とする方針だ。（2020年2月6日付朝日新聞）

一方で、「フェイクニュースなどが横行する状況に対抗するための新しいメディアを作りたい」というネットメディア「Chcose Life Project」に立憲民主党の福山哲郎幹事長（当時）が共感し、同党から同社に番組制作費など約１５００万円の資金提供をしたことが明らかになり、同党が「資金提供を公表せず疑念を与える結果になった」と、２０２２年１月に記者会見で表明する事態が起きた。

弁護士ドットコムニュースの猪谷千香記者は、２０１９年の著書『その情報はどこから？』（ちくまプリマー新書）で、「憲法九条を改正し、軍隊を保有すること、当然だと思っています」「共産党の議員に票を入れる人って反日ではないか」「民進党の政策の反対を行えば日本は良くなる」といったテキストが含まれたブログ記事を書けば、一本につき800円の報酬がもらえます、という求人募集がサイトに掲載されていたことが2017年9月に明らかになった、と報告している。「求人募集は様々な仕事依頼が掲載されているサイト『クラウドワークス』で、『政治系ブログ記事の作成。保守系の思想を持っている方限定』というタイトルで掲載されていたが、ツイッターで話題になり、後にクラウドワークス側は募集が利用規約や仕事依頼ガイドラインに反すると判断して、掲載が中断されたという。

## 4　ハッカー集団「アノニマス」やサイバー攻撃で見られる綻び

ネット空間で誹謗中傷とは異なる次元で、実力を行使する集団が出現している。インターネットの世界の自由を掲げ、規制に反対する立場から国際的ハッカー集団「アノニマス」はサイバー攻撃を仕掛けている。

「匿名」を意味するアノニマスは2003年ごろの米国のネット掲示板における活動が始まりといわれる。2010年12月にあった内部告発サイト「ウィキリークス」への寄付金窓口を閉鎖したクレジットカード各社、11年1月に「アラブの春」でネット接続を遮断したチュニジア、エジプトなどの政府機関のほか、4月には著名ハッカーを提訴したソニーを標的にした個人情報流出の攻撃、12年6月に起こった日本の財務省や最高裁、民主党などでのサイトのダウンについて、それぞれ関与したとされている。海賊版の映像・音楽ファイルのダウンロードに刑事罰を科す改正著作権法が成立したことに反対し、日本政府と日本レコード協会が標的にあげられていた。

日本の財務省などにおけるサイバー攻撃の主な手口は、サーバーに限界を超えるアクセスを集中的に送りつけ、停止させる「DDoS（ディードス）攻撃」。攻撃対象を設定したファイルを協力者に送り、攻撃用ソフトを一斉起動させる方法をとった。遠隔操作ウイルスに感染した数千台規模のパソコンに指令を出す手口も使ったという。（2013年3月27日付朝日新聞）

2014年11月には、北朝鮮首脳の暗殺を題材にしたハリウッド映画を製作した米ソニー・ピクチャーズ・エンターテインメントにサイバー攻撃が仕掛けられ、オバマ米大統領が「北朝鮮が国として行った」と名指しで非難する事態が起きた。映画館に対するテロを予告する脅迫文がネット上に出され、製作会社は12月に予定していた米国での公開を中止に追い込まれた。北朝鮮は関与を否定した。しかし、北朝鮮によると見られる韓国へのサイバー攻撃が13年春に起きており、北朝鮮には1万人規模のハッカーを養成している、と韓国政府は指摘していた。

米国の元サイバー犯罪担当警察官でコンサルタントのマーク・グッドマンさんが2016年に出版した著書『フューチャー・クライム』（青土社、原著は2015年）では、アノニマスの気風について「腐敗した者はわれわれを恐れる。正直者はわれわれを支援する。英雄的な者はわれわれに加わる」と表現し、犯罪組織や不正義と戦う活動のいくつかを支持しているメンバーもいる、と指摘する。また、北朝鮮のサイバー攻撃については「北朝鮮は恒常的に韓国に手を出して、GPS（全地球測位システム）信号を妨害する。平壌は、韓国の大部分に対して衛星航行をできなくするために、三台のトラクター大移動式妨害装置を使っている」と述べている。

グッドマンさんはハッキングの現状について、ワシントンDCで何十万ドルも使った電子投票システムの健全性を示すためハッカーが破れるか見るために回線をつないだところ、ミシガン大の研究者が選挙委員会のサーバーを自由に操れたうえ、入ってくる投票を変えられたほか、誰が誰に投票したかを見ることができたという2012年の報告を紹介。また、2013年に「ホワイトハウスで二度の爆発があり、バラク・オバマが負傷」というAP通信の公式ツイッターによるニュース配信があったあと、10分後にシリア電子軍がAP通信社をハッキングしたことを認めた例を伝えている。

ただ、DDoSはもはや古典的なサイバー攻撃と位置づけられ、攻撃を脅しに企業などへ金銭を要求する悪質さが加速している。

日本でも、徳島県つるぎ町の町立半田病院で21年10月、パソコンやサーバーに仕掛けられたウイルスが発動し、「あなた方のデータは盗まれ、そして暗号化された」「データは公開されるだろう」という英文の犯行声明が十数台のプリンターから吐き出された。「LockBIT（ロックビット）」と名乗る国際的サイバー犯罪集団が、暗号化されたデータの復元と引き換えに金銭を要求する「ランサムウェア（身代金ウイルス）」攻撃を仕掛けたのだった。

攻撃の結果、電子カルテや会計など病院のすべてのシステムがダウン。過去分も含めて8万5000人分の患者データが失われ、バックアップも被害を受けた。予約の再診患者のみを診察し、手書きの紙のカルテに切り替えた。（2021年11月28日付朝日新聞）

半田病院は交渉に応じなかった。攻撃から約2カ月後の22年1月にシステムが復旧し、すべての診療科で通常診療を再開した。病院のシステムダウンにつながったランサムウェア攻撃は、2018年10月の奈良県宇陀市立病院でもあったほか、22年10月には大阪急性期・総合医療センター（大阪市住吉区）などでも起こった。

サイバー犯罪やサイバー攻撃に対応するため、警察庁に22年4月、サイバー警察局が発足。半導体など重要物質を安定的に確保するためのサプライチェーン強化やサイバー攻撃対策などを狙いとした経済安保法案が22年5月に成立した。

インターネット草創期には予想されなかった距離を超えた攻撃や被害ばかりだけでなく、当初にうたわれていたネット社会の利便性の陰で綻びが目に付くのが、日本のマイナンバー制度をはじめとする政府・自治体のデジタル化の遅れと運用の拙さだ。2020年に新型コロナウイルスの感染が広がったとき、政府が決めた国民に一律10万円を配布する特別定額給付金のオンライン申請を自治体職員は紙に印刷して住民情報と一枚一枚照合し、保健所は感染者の発生届を手書きしファクスで報告していた。雇用調整助成金のオンライン申請システムは稼働初日に個人情報が漏洩する不具合が発生し、即日停止となった。

10万円特別定額給付金ではマイナンバーカードを使うオンライン申請で混乱が生じ、１カ月で40以上の自治体が受付を取りやめ、国と地方の情報連携の不十分さを露呈させた。そもそも新型コロナでは、感染者の発生届を保健所は手書きしファクスで送っていた。１カ月強でつくられた感染者情報を管理する厚生労働省の新システム「ＨＥＲ－ＳＹＳ」は２０２０年5月に稼働したが、不具合が続出し、一部の自治体や保健所は導入にノーを突きつけた。ＨＥＲ－ＳＹＳには総務省のガイドラインが自治体担当者に求めるログやセキュリティー確保に必要な記録を保存する機能がなかったほか、患者１人あたりの入力欄が約２００あるという膨大な数にのぼった使い勝手の悪さが指摘され、優先的に入力する項目を絞り込むなどして、保健所を設置している１５５自治体すべてで運用が始まったのは、予定より1カ月以上遅れた２０２０年9月だった。雇用調整助成金のオンライン申請をめぐっては、不具合で2カ月近く稼働が止まった。いずれも、省庁のＩＴ人材不足と、システムを構築するベンダー業者への丸投げが、原因として挙げられている。（日経コンピュータ『なぜデジタル政府は失敗し続けるのか』、日経ＢＰ、２０２１年）

　２０２０年6月にサービスが開始された厚労省の接触確認アプリ「ＣＯＣＯＡ」も、アプリのバグが続出したうえ、陽性者と接触しても通知が届かないという根幹的なトラブルが相次ぎ、22年11月に機能が停止された。通知が届かない不具合では障害の発生から4カ月以上放置されていたほか、アップデート時に動作確認のテストをしなかったというずさんな対応も明らかになった。

２０２３年5月に新型コロナの感染症法の扱いが2類相当から5類に引き下げられ経済社会活動のさまざまな規制が緩和されたものの、マイナンバーカードをめぐるトラブルが続出したため、政府のデジタル施策に対する不信が高まった。

23年2月にマイナンバーを健康保険証として使う「マイナ保険証」に別人の情報が誤登録されていたことが明らかになったほか、3月には横浜市のコンビニ交付サービスで他人の証明書を誤交付されたことが発覚するなど、問題はくすぶっていた。5月になり、別人のマイナンバーに公金受取口座を誤登録したり、マイナポイントを別人に誤付与したり、マイナ保険証で医療費を10割負担させられたりするトラブルが立て続けに明らかになった。6月に入ると、公金受取口座で本人ではない家族名義の口座として登録されているのが約13万件に達していることを河野太郎デジタル相が認めたほか、静岡県で同姓同名など別人の情報をマイナンバーにひもづけた障害者手帳の情報の誤登録62件が公表された。マイナンバーカードを使って行政手続きができる政府のサイト「マイナポータル」で他人の年金記録が閲覧できる状態になるトラブルもわかるなど事態は悪化するばかりで、岸田文雄首相は6月21日、マイナンバー情報総点検本部を設置し、健康保険や年金などマイナポータルで確認できる29項目の情報について、マイナンバーと正しくひもづけされているかを確認し再発防止策を講じる、と表明した。その後も、埼玉県所沢市が２０１５年12月、80代女性のマイナンバーに同姓同名で生年月日も同じ別人のマイナンバーをひもづけ、高額介護合算療養費5万7516円を23年6月に別人の口座へ振り込んだことが23年7月18日に発覚。行政からのお金がマイナンバーの誤登録による別人の口座に振り込まれたのは初めてだった。7月19日には、個人情報保護委員会がマイナンバーによるひもづけのミスによる個人情報の漏洩に関して、情報管理に問題がなかったかを調べるため、デジタル庁への立ち入り検査を始めた。

政府は8月4日、自民党内からも出ていたマイナンバーとの一体化による24年秋の健康保険証「廃止」時期の延期は行わず、マイナンバーのマイナ保険証を持たない人には申請がなくても全員に資格確認証を交付し、「1年を限度」としてきた有効期限を5年にする方針を表明、健康保険証の廃止時期については実行中の総点検作業の状況を見て判断する考えを示した。政府のマイナンバー情報総点検本部が8月8日に中間報告として、新たに判明した健康保険証の誤登録1069件を含め、登録ミスが8441件に達したことを公表した。保険証以外にも、公務員などの共済年金が118件、障害者手帳が宮崎県などで2883件の誤登録が明らかになった。12月12日にほぼ終了した健康保険証や公金受取口座など延べ8200万件のデータの大半の総点検による結果、8351件のひもづけ誤りのミスが見つかり、マイナンバーと個人情報のひもづけ誤りは計1万5907件となった。誤登録の原因として同姓同名で同じ生年月日の人に誤ってひもづけしたのが目立つほか、システムが対応していない旧字や異体字が表示されず照合できない例が相次いだ。

## 5　フェイスブック利用者を通じた米大統領選へのロシアの介入

利用者が拡大するＳＮＳは影響力が増える一方で、想定できなかった負の使われ方を露呈した。２０１８年３月17日、16年の米大統領選で当選したトランプ大統領の陣営のデジタル戦略を担ったデータ分析会社がフェイスブックの利用者８７００万人（推計）の個人情報を不正に取得した、と米ニューヨーク・タイムズや英メディアが一斉に報道した。４月４日にフェイスブックは「最大８７００万人分の利用者データが不適切に共有されたと見ている」と発表、10日にはマーク・ザッカーバーグＣＥＯが米上院の公聴会で会員情報の不正流出について証言し、情報管理の不十分さを謝罪した。

この会社は13年に設立された英国に拠点を置くケンブリッジ・アナリティカ（ＣＡ）。グループのコンサルティング会社の副社長にはトランプ前大統領の側近となるスティーブ・バノンさんが就任した。ＣＡは心理テストをする研究者を通じ、少額の対価と引き換えに回答したフェイスブック利用者27万人から個人情報の提供を受け、利用者の「友人」の情報も無断で収集。利用者や「友人」の同意を得ることなく、約８割が米国人を占める８７００万人分の情報をＣＡ側に横流しした。ＣＡは16年大統領選の激戦州で、どの有権者がどの政治課題に興味を持っているかや誰がトランプ氏に投票する可能性があるのかを把握していた。（２０１８年４月６日

付毎日新聞）
　2016年の米大統領選におけるロシアの介入について、土屋大洋・慶応義塾大大学院教授（情報社会論、国際政治学）が編著者となって2022年に刊行した『ハックされる民主主義』（千倉書房）で、「選挙の1年前に当たる2015年夏の時点でFBIはロシアによる民主党全国委員会（DNC）への侵入に気づいていた。そして、2016年9月に中国の杭州で開かれたG20会議の際、バラク・オバマ大統領は、ロシアのウラジーミル・プーチン大統領に介入をやめるよう警告を発した。しかし、介入は続き、11月の大統領選ではトランプ候補が当選した。この結果についてはトランプ候補自身も予期していなかったという報道もある。そもそも、ロシアが介入したのはプーチンの認識によるところが大きい。ドミートリー・メドヴェージェフが大統領に就き、プーチンが一時的に首相に退いていた2011年のロシアの下院選挙では、選挙不正があったとして大規模なデモが発生し、プーチンは衝撃を受けた。そして、このデモは米国による干渉だとプーチンは認識しているといわれる」と記している。
　同じく編著者をつとめた川口貴久・東京海上ディーアール主席研究員と土屋教授は同書で、こんな報告をしている。「2015年5月、ドイツ連邦議会はサイバー攻撃を受け、16ギガバイト（GB）のメールや機密情報が漏洩した。攻撃を受けた10数件のメールアカウントはアンゲラ・メルケル首相の議会用アカウントを含まれた。後にドイツや欧州連合はこの攻撃を行ったのはロシアの情報機関と判断する」「もう1つのロシアによるドイツ連邦議会選挙への介入手法はソーシャルメディア上でのキャンペーンである。選挙期間中、ドイツ語のロシア系メディアは反移民政策の主張を展開した。当時、メルケル政権はシリア等からの大量の難民受入を表明していたことから、こうした主張は連立政権に反対するキャンペーンと考えてよいだろう」

ニューヨーク・タイムズ紙のシーラ・フランケル記者とセシリア・カン記者の2人の共著で2022年に出版された『フェイスブックの失墜』（早川書房、原著は2021年）によると、フェイスブックのセキュリティアナリストは大統領選まで3カ月を切った2016年8月、ロシア人ハッカーが民主党のヒラリー・クリントン陣営をハッキングして不都合なメールを暴露しようとするスパイ活動の企みの証拠をつかみ、上司に報告した。16年3月にロシアのハッカーがサイト上でアメリカの選挙における重要人物に関する情報を収集しているのを発見、ロシアが偽のアカウントやページを作成して偽情報やフェイクニュースを拡散していたことがマーク・ザッカーバーグCEOに報告されたのは16年12月になってからだった。その後、ロシアの組織「インターネット・リサーチ・エージェンシー（IRA）」が3300を超える広告枠を購入し、約10万ドルをフェイスブックでの活動に費やしていたことが判明した。

米バージニア大のシヴァ・ヴァイディアナサン教授（メディア学）は、2020年の著書『アンチソーシャルメディア』で、「ロシアに拠点を置くいくつかの広告アカウントがアメリカの有権者に向けて、ヒラリー・クリントンへの支持を弱めるプロパガンダを流す目的でターゲティング広告を出していた」とフェイスブックが明らかにしたとして、「悪意ある外国勢力がアメリカの有権者に干渉しようとする厚かましさに頭を悩ますのは当然だ。だがそれ以上に、フェイスブックがこうした操作をいとも簡単にできるようにし、健全な民主主義に備わっているべき説明責任と透明性から政治広告を除外してしまうことに、私たちはもっと懸念を示すべきだろう」と糾弾した。さらに、フェイスブックのセキュリティ責任者の「2015年の6月から2017年の5月にかけて、私たちのポリシーに違反する約470の偽アカウントおよびページに関連する広告支出はおよそ10万ドル、件数にしてざっと3000広告におよぶことが判明しました」というブログ記事を紹介している。

『フェイスブックの失墜』によると、トランプ候補は大統領選でシェリル・サンドバーグ最高執行責任者（COO）や他のフェイスブック幹部をはじめとしたIT業界が公然とヒラリー・クリントン候補を支持したことに恨みを抱いてた一方で、トランプ陣営はフェイスブックを自分たちに都合よく利用できると心得ていて、トランプ候補は自分のフェイスブックに毎日、ときには1時間ごとに選挙戦について投稿していた。他国ではその数年前から、インドのナレンドラ・モディ首相やフィリピンのドゥテルテ大統領の選挙陣営も有権者の支持を得るためにフェイスブックを利用していた。

ケンブリッジ・アナリティカの立ち上げに関わったあと内部告発したカナダ人のクリストファー・ワイリーさんは2020年の著書『マインドハッキング』（新潮社、原著は2019年）

で、ロシアの諜報部員らしき人物との接触や米大統領選におけるフェイスブックのデータを使った有権者への働きかけを、18年6月に米議会で証言したことを明らかにした。フェイスブックのデータに加え、民間業者や州政府から購入したあらゆる個人データを統合し、選挙に利用しようとする会社に嫌気を差したワイリー氏は退社し、接触してきた英ガーディアン紙、米ニューヨーク・タイムズ紙、英チャンネル4による1年に及ぶ共同取材と18年3月の一斉報道の経緯が詳しく語られている。フェイスブックは利用者の情報へのアクセスを許しプライバシーを守らなかった個人情報流出に加え、「不正行為は何も発見できなかった」というウソの声明を出した責任を問われ、19年7月、米連邦取引委員会から過去最大級の制裁金50億ドル、米証券取引委員会から罰金1億ドルの支払いが科せられた。

ただ、SNSの政治利用の効果や「エコーチェンバー」の政治行動への影響については、十分に証明されていないという論考もある。

米デューク大のクリス・ベイル教授（社会学）は、SNSをめぐる研究で、民主・共和両党の支持者をツイッターで対立する政党を支持する人々やメディアの投稿にさらし、自分と似た意見に囲まれる「エコーチェンバー」を取り除いてみたが、イデオロギーや意見の二極化は解消しない結果となった。逆に、自分と反対の極端で攻撃的な主張に繰り返し触れることで有害と感じ、自らのイデオロギーを守るために既存の見解が増幅、強化された。ベイル教授は「SNS上では、中道寄りの穏健派は沈黙する。対立する人々に加え、自分の側にいるはずの人々からも攻撃される恐れがあるためだ。過激で極端な声のみが強調される『沈黙のスパイラル』と呼ばれる悪循環だ」と危惧している。(2021年5月14日付読売新聞)

ベイル教授は2022年の著書『ソーシャルメディア・プリズム』(みすず書房、原著は2021年)で、計算社会科学のデータに基づく分析から「ソーシャルメディアは、社会を俯瞰するのに使える巨大な鏡ではなく、各自のアイデンティティーを屈折させるプリズムなのだ」と指摘、「ソーシャルメディア・プリズムによって社会的ステータスを求める過激主義者は勢いづき、ソーシャルメディアで政治を議論しても得るものはないに等しいと考える穏健派は〝ミュート〟され、私たちの大半は反対派を深く疑うようになる」と述べている。

ベイル教授は17年10月、民主党か共和党のいずれかへの政党帰属意識を持つ米国籍の1220人に政治的信条などについて質問したうえで、民主党派と共和党派の著名人の異なる意見のメッセージ共有に自動で行うアカウント(ボット)で接触してもらう実験をし、翌11月に同じ内容の調査票を送った。その結果は、「人が各自のエコーチェンバーから出るとどうなるかをようやく知ることができた。出れば人はより穏健になるというのが常識だったが、得られた結果はかなり気のめいるものだった」と記し、「ボットをフォローした民主党派も共和党派も、より穏健にはならなかった。それどころか結果は逆向きだ」として、「ソーシャルメディアで対立見解に接触した人はそれまでの意見を強めうる」という結論を伝えた。さらに、18年中頃、調査参加者参加者約80人と1対1の面接を重ねたところ、自党への帰属意識を強めたうえ、党派戦争に足を踏み入れたことで、自分の意見を党の見解に合わせることを学んだ形跡を確認した。

16年の米大統領選で問題になったフェイスブック利用者へのロシアの介入についても、ベイル教授は同書で、「誤情報キャンペーンがアメリカ人を二分するのに成功したという証拠はほとんどない」と明快に述べている。他の研究者チームの報告として、フェイクニュースの80％と接触したのはツイッターユーザーの1％未満、平均的なアメリカ人が覚えていたフェイクニュースは約1件とそれぞれ挙げている。ロシアと結び付きのあるIRA（インターネット・リサーチ・エージェンシー）の関連アカウントの影響をデューク大とノースカロライナ大チャペルヒル校の研究者チームの調査では、政治的な姿勢や行動のどれについても、IRAアカウントと関わったことによる有意な影響は検出できなかった、と結論づけている。

## 6　進化する「ディープフェイク」と調査する「ベリングキャット」

人工知能（AI）で改ざんするなどして生成された「ディープフェイク」は、技術が日々積み上げられている。できあがった写真や音声、動画は、本物ともはや見分けがつかない。

東京工業大の笹原和俊・准教授（計算社会科学）は2023年の著書『ディープフェイクの衝撃』（PHP新書）で、「数年前まで、ディープフェイクは専門的な知識と技術、大量のデータと高性能なコンピュータがなければ作ることは困難だった。しかし、簡便なツールやサービスが誕生し、誰もがたやすく安価に作成できるような時代に突入した」と言い切った。笹原准教授は、ディープフェイクのパンドラの箱が開いたのは2017年と指摘、ポルノ制作の道具として使われ始め、ポルノ女優の顔を有名女優のエマ・ワトソンや人気歌手のテイラー・スウィフトらの顔にすり替えた合成ビデオが作られて、普及に拍車がかかったと経緯を説明した。

最近では一般人を狙ったディープポルノが増加傾向にあり、何気ない日常の写真が切り取られて許可なく素材として使われた合成のヌードやポルノが拡散され、「デジタルタトゥー」となってインターネットに残り続ける危険性を警告した。サイバーセキュリティ会社センシティの調査によると、2017年に初めて登場してからインターネット上で観測されたディープフェイク動画の数は18年12月に約8000本だったが、20年には8万5000本以上に急増し、6カ月ごとに2倍というペースで右肩上がりになっているという。

2020年4月にロンドン大学ユニバーシティ・カレッジの研究者たちが、学術論文やニュースに基づいて今後15年間で起こるであろうAIを用いた犯罪を20種類リストアップし深刻度に応じて格付けしたところ、最も危険度が高いと判断されたのがディープフェイクだった、と笹原准教授は紹介している。深刻度を評価する基準は被害の大きさ、見込める利益の大きさ、実行の容易さ、防止の困難さの四つで、ディープフェイクのほかには無人自動運転の武器利用、よりパーソナライズされたフィッシング詐欺、AI制御システムの破壊、大規模な脅迫を目的とした個人情報の採取、ＡＩが作成したフェイクニュースがランクに入った。笹原准教授は「２０２２年は、生成ＡＩのブームが巻き起こった年として記憶されるだろう」と述べ、22年8月に米コロラド州であった美術品評会で、優勝したボードゲームメーカーＣＥＯのジェイソン・アレンさんは画像生成ＡＩによる絵画であったことを明らかにし賛否両論が巻き起こった、と取り上げた。

著書『ディープフェイク』を英国で出版したニーナ・シックさんは、最新の脅威である合成メディアを作り出すＡＩは誕生したばかりなので、「今ならまだ、この技術の発展の仕方や産物を軌道修正する余地がある」と言っている。

２０１６年に米国の科学者アビブ・オバディアさんは、危険で信用に値しない情報の世界を意味する「インフォカリプス」という言葉を作った。

インフォカリプスに置かれていると認識するシックさんは、偽情報や陰謀論、フェイクニュースなどの危険な状態にあることを理解したうえで、正確な情報を得るようにし、信頼できる人が作り挙げた技術的ツールを利用し、防御を固めることの重要性を説いている。そして、後手に回るのではなく、反撃に出ることを主張する。その実例として、ロシアに対するエストニアの反撃を挙げている。２００７年、第二次世界大戦でエストニアを占領していたソ連軍兵士の慰霊碑「タリンの兵士像」の移動を決めたエストニア政府と報道機関、金融機関は3週間以上、サイバー攻撃を受けた。エストニア政府は国内に流通するロシアの偽情報を特定する早期警告システムを立ち上げたほか、ボランティアの協力を得てインターネット利用者の防衛策を徹底、10年には心理的防衛に主眼を置いた長期的な国家防衛戦略を導入したという。22年のウクライナ侵攻で示されたロシアの数々の虚偽説明を目の当たりにしたいま、シックさんの主張に強い説得力を感じる。

シーナさんは同書の最後に記した。「人類は、新しい発展の段階を迎え、コミュニケーションの方法が激変した。その副作用の一つとして、私たちの情報のエコシステムは急速に信用できない危険なものになっている。だが、希望はある。インフォカリプスに対抗する勢力がすでに集結し始め、力をつけている。私たちが脅威を理解できるよう支援し、皆を守るための解決策や協力体制の構築を始めている」

たしかに、偽情報を誰でもアクセスできる情報で分析する「ＯＳＩＮＴ《オシント》（オープン・ソース・インテリジェンス）」という手法で見極める英国の調査報道機関「ベリングキャット」は、２０１４年にウクライナで墜落したマレーシア航空機撃墜へのロシア軍関与を立証した。

２０１４年７月に立ち上げられたベリングキャットは、情報源を明示し透明性を徹底することで、陰謀論がうずまき「情報戦」が繰り広げられる国際社会でも政治信条に左右されず、信頼を築き上げてきた。創設者のエリオット・ヒギンズさんは「アラブの春」でリビアが内戦状態だった２０１１年８月、地中海の最南端にあたる町ブレガを政府軍と反政府軍がともに「掌握した」と主張する事態に際し、反政府軍がアップしたユーチューブの動画にあったブレガの特徴ある湾曲した道路と周辺の建物を「グーグル・マップ」の地図と重ね合わせて場所を特定、反政府軍の主張が正しいと、英ガーディアン紙のブログに書き込んだ。その後、「ブラウン・モーゼス」というブログを始めた。会社員だった当時、英国で早く出勤してインターネットで情報をあさっていたというパソコンが趣味の「ひま人」の活動が、当局や専門家から注目される調査情報機関になっていく始まりだった。

ベリングキャットはオシントによってマレーシア航空機撃墜の黒幕をあばいたほか、シリアのアサド大統領による自国民への化学兵器利用の証拠を発見したり、ヨーロッパに潜むイスラム過激派組織「ISIS」の居所を突き止めたりした。シリアにおけるロシアの動画に関連する発表で、ロシアの国営テレビ「RT（ロシア・トゥデー）」からヒギンズさんは「完全な詐欺師」や「無職のインターネット中毒者」と決めつけられたが、調査結果によってモスクワの仮面がはがされた。インターネットで公開されている情報をもとにしているとはいえ、英国側の二重スパイだった元ロシア軍大佐と娘が2018年3月に英ソールズベリーで神経剤によって瀕死の重体になる事件のロシア側の容疑者を特定する際には、パスポート情報や住所など流出データベースを利用、モスクワ—ロンドン便の航空機名簿や身分証明書を関係者から購入したことを明らかにしている。シリアで2013年8月に使われた化学兵器のロケット弾では、さまざまな映像や静止画像から発射地点を翌月には割り出した。ピュリツァー賞を受けた伝説的なジャーナリスト、セイムア・ハーシュさんがシリアのグータにおけるサリン攻撃について、

13年12月、アサド政権の仕業か疑義を呈しオバマ政権によるアサド大統領に対する正当化を疑問視する報道をしたことについて、ヒギンズさんは2022年の著書『ベリングキャット』（筑摩書房、原著は2021年）で「ぼくはとっくの昔に答えを出していたのだ。結論を言えば、あきれるほど支離滅裂な記事だった」と、畏敬の念を抱いていた記者を切って捨てた。

ヒギンズさんは著書『ベリングキャット』で「もう何年も前のことだが、インターネットがこのまま発展していけば、まもなくサイバー世界のユートピアが実現すると大宣伝されていたものだ。しかし最近では、世論は完全に反対方向に振れていて、デジタル時代は建物解体用の鉄球も同然と見なされるようになっている」と記した。だが、そのうえで、「〈ベリングキャット〉としては、こういうサイバー悲観論を受け入れるつもりはない。インターネットという驚異には、人類によい影響を与える力がいまもあると思う」と前向きな姿勢を示した。

## 7　議論を呼ぶ生成ＡＩ「ＣｈａｔＧＰＴ」

日本で対話型の「ＣｈａｔＧＰＴ（チャットＧＰＴ）」といった文章や画像を作り出す生成ＡＩ（人工知能）に対する関心と警戒感が高まったのは2023年前半だった。ＡＩの創始者のひとりであるマーヴィン・ミンスキーさんは、ＡＩの特徴を「もし人間が行ったなら知的だとみなされることを、コンピュータにさせようとすること」と定義したが、生成ＡＩをめぐる議論は完成度が高く見えたこともあって沸騰した。２０１５年12月に誕生した米国の新興企業オープンＡＩが開発したＣｈａｔＧＰＴの技術を応用し、米マイクロソフトがインターネットの検索エンジン「Ｂｉｎｇ」に組み込む、と２月７日に発表した。検索エンジンで人間が書くような自然な文章で回答でき、日本語も順次利用できるようにした。マイクロソフトは２０１９年、オープンＡＩに10億ドル（約１３００億円）を出資、検索エンジンで圧倒するグーグルに対抗する姿勢を示した。グーグルもマイクロソフトが発表する前日の６日、対話型ＡＩ「Ｂａｒｄ」（24年２月に「Ｇｅｍｉｎｉ」へ名称変更）を数週間以内に公開すると発表し、３月から米英での限定公開を始めた。米アマゾンも４月13日、クラウドサービスＡＷＳを通じて生成ＡＩの技術を提供すると発表した。大手ＩＴ企業の参入が相次ぎ、新たな競争の舞台が広がっている。

そんな折、ＣｈａｔＧＰＴを開発したオープンＡＩのサム・アルトマンＣＥＯが来日し、４月10日に首相官邸で岸田文雄首相と面会した。アルトマンＣＥＯは取材に、「この技術の利点と、欠点を軽減する方法」などについて首相に説明したと話し、日本での事務所開設を検討していることを明らかにした。翌11日の閣議後の会見では、西村康稔経済産業相が、ＣｈａｔＧＰＴの国会答弁作成への利用に前向きな姿勢を示したほか、４月25日にあった政府の「新しい資本主義実現会議」でも、人の要求に応じて自然な文章を作り出す生成ＡＩの産業への利活用に向けた議論を始めるなど、政府の前のめりの姿勢が目立っていた。

ＣｈａｔＧＰＴの認知を広げるきっかけとなったのは、そのベースとなった大規模言語モデル「ＧＰＴ－３」を開発した著名エンジニアのマヌエル・アオラスさんが20年7月に公開したＧＰＴ－３についてのブログで「文章を生成できるモデルで、ブロックチェーンに匹敵する破壊的可能性を秘めている」と紹介したときだった。オープンＡＩの歴史や技術的な背景、モデルの活用方法などを綴った文章について、アオラスさんが「告白しよう。このブログは私が書いたのではなく、ＧＰＴ－３が書いたものだ」と述べ、「ＧＰＴ－３に自身の『破滅的可能性』を質問し、答えた内容をコピーしてブログに載せた」と末尾に付記したのだった。多くの読者はだまされ、ブログは大反響を呼んだ。（２０２３年5月2日、日経デジタル電子版）

周囲は、期待と警戒の視線で見つめている。

スイスの投資銀行であるＵＳＢは2月1日に発表したリポートで、ＣｈａｔＧＰＴのユーザー数が1月31日時点で1億２３００万人に達したと推定した。ＣｈａｔＧＰＴの公開は２０２２年11月30日で、わずか2カ月間の出来事だ。人気の動画ＳＮＳ「ＴｉｋＴｏｋ」でさえ、ユーザー数が1億人を超えるのに9カ月、写真共有アプリ「インスタグラム」は2年半を要したという。マイクロソフトのサティア・ナデラＣＥＯは２０２３年2月7日にＢｉｎｇへＣｈａｔＧＰＴを搭載すると発表した際、過去のプラットフォームの移行について振り返った。１度目はパソコンとサーバーの発明、２度目は携帯電話とクラウドの発明とした上で、「ＡＩはどのようにウェブを作り変えるだろうか。この技術は、ほぼ全てのソフトウェアを再編成する

だろう」と予測した。（2023年5月2日、日経デジタル電子版）

一方、中国の規制当局がChatGPTをサービスに提供しないようアリババ集団など国内の主要IT企業に指示していたことが明らかになった。利用者の質問に対し、習近平指導部に批判的な回答をしかねないと警戒しているとみられる。（2023年2月23日付日本経済新聞）

中国のネット検索最大手の百度は2023年3月16日、独自開発の対話型AI「ernie Bot（文心一言）」を発表し、中国での一番乗りを果たした。百度は2019年に大量のテキストデータをAIに与えて学習させる大規模言語モデルを発表し、開発を継続してきた。一方で、失望の声も上がった。3月16日時点ではインターネット上で広く公開されずパートナー企業など限定的となったうえ、ChatGPTを使用するには「VPN（仮想私設網）」などを駆使する必要があったためだ。浙江省杭州市に本社を構える新興AIスタートアップが2月に「中国初」として開始した対話型AIサービスは、公開からわずか3日で規制違反を理由にサービスが中断された。ウクライナ戦争を「ロシアの侵略戦争」と断定するなど、中国政府と異なった回答をしたことが問題視された、と台湾メディアは報じている。（2023年5月2日、日経デジタル電子版）

22年秋からChatGPTが一般公開され利用が急増している状況について、元グーグル社員でAIを倫理面から研究してきた通信アプリの社長を務めるメレディス・ウィテカーさんが「世界の全人口を実験台として利用することが許されてしまっている。倫理や道徳の観点から、もっと民主的な統制があってしかるべきだ」と疑問を投げかけ、一般公開でＡＩが多くの「学習データ」を得ることでデータの集中と監視がさらに強まる、と指摘した。（２０２３年４月12日付朝日新聞）

米国では、ＡＩの訓練に使われるデータの著作権をめぐり、サンフランシスコに住むアーティストが仲間２人とともに、許可を得ずに複製したとして、２０２３年１月、画像生成ＡＩを運営する英スタビリティーＡＩなどを相手取り、著作権侵害で集団訴訟を起こした。米写真配信サービス大手のゲッティイメージズも１月、数百万枚の画像を無断で利用されたとして、スタビリティーＡＩを著作権侵害で提訴した。（２０２３年４月13日付朝日新聞）

人工知能研究の先駆者とされるカナダ・トロント大のジェフリー・ヒントン名誉教授が２０２３年５月１日、米グーグルを退社したと表明した。ニューヨーク・タイムズは１日に公開したインタビューで、ヒントン名誉教授は生成ＡＩの普及で偽の画像や文章があふれ、真実がわからなくなる可能性があると指摘。人々の雇用への影響にも触れ、「（ＡＩが）単調でつまらない仕事を奪う」「それ以上の仕事を奪うかもしれない」と述べた。長期的なリスクとして、完全に自律したＡＩ兵器が生まれる可能性にも言及。「多くの人がはるか先の話だと考えていた。私も30、50年、さらに先のことだと考えていた。明らかに、今はもはやそう思わない」として、これまでの想定以上にＡＩが進化しているとの認識を示した。ヒントン名誉教授は同日にツイートし、「ＡＩの危険性についてグーグルに与える影響を考慮せず話せるよう退社した」と

表明した。（2023年5月2日朝日新聞デジタル）
活用が広がるＣｈａｔＧＰＴなど生成ＡＩとの向き合い方について、東京大は4月3日付で学内サイトにおいて学生や教職員向けに見解を太田邦史副学長（教育・情報担当）の名前で公開した。「この変化を傍観するだけでなく、変化を先取りし、積極的に利用法や新技術、法制度、社会・経済システムを見出していくべきだ」と呼びかけると同時に、学位論文やリポートについては「学生本人が作成することを前提としており、ＡＩのみを用いてこれらを作成することはできない」と釘を刺した。
国内の新聞社、通信社、放送局が加盟する日本新聞協会は2023年5月17日、ＡＩの生成物は不正確な情報を含む可能性があるうえ、短時間に大量の記事を生成できるため、偽情報や政治的意図をもって世論を誘導する情報が大規模に拡散する恐れがあるとして、無秩序な開発は言論空間の混乱や社会の動揺を招きかねず、民主主義を守る意味でも看過できない、と警鐘を鳴らした。ＡＩの学習のためにどの報道コンテンツが利用されているかの実態が不透明と指摘し、著作権法や個人情報保護法を含めた法制度全体の観点から、生成ＡＩが社会と調和するものとなるよう、制度的対応を急ぐべきだ、と政府に要望した。
政府の個人情報保護委員会も2023年6月2日、ＣｈａｔＧＰＴを運営するオープンＡＩに対し、病歴や犯罪歴といった特別な保護が求められる「要配慮個人情報」をＡＩの学習データに利用しないよう求める行政指導をした、と発表した。同委員会が生成ＡＩに公式見解を示すのは初めてで、違反を把握していない段階での「注意喚起」という位置づけとして、1日にオープンAIに文書を送付した。個人情報保護法では利用目的が明記されていれば本人の同意なしに個人情報を収集できるが、要配慮個人情報については本人の事前同意なしに取得してはならない。ネット上の情報や利用者が入力した内容を大量に収集し学習しているChatGPTで、要配慮個人情報が学習データに使われ、回答として表示される可能性に懸念が示された。

生成AIの使い方をめぐり文部科学省がまとめた国公私立の小中高生向けガイドライン（指針）案の内容も、2023年6月に明らかになった。著作権侵害や批判的思考、創造性への影響といった懸念やリスクが指摘され、活用の不適切な例として、「詩・俳句の創作、芸術活動などの場面で安易に使わせる」「定期テストなど学習評価に関わる場面で使わせる」などが示され、夏休みの読書感想文や各種コンクールに応募する作品について本人の成果物として提出することは不正行為だとした。ただ、「生成AIを使いこなす力を育てる姿勢が重要」として、一律に禁止するのではなく、グループ討論の途中段階で考えをまとめたあとにAIを使い見落としていた視点に気づいて議論を深めることは「適切」と位置づけた。（2023年6月22日付朝日新聞）

国際的にも生成AIへの対応を急いでおり、欧州連合（EU）の行政府・欧州委員会のベステアー上級副委員長は、生成AIが作り出した文章や画像に表示を義務づける考えを明らかにした。（2023年4月30日付朝日新聞）

群馬県高崎市で開かれた主要7カ国（G7）デジタル・技術相会合は2023年4月30日、「責任あるAI」の実現などを盛り込んだ閣僚宣言を採択した。生成AIのリスクを共有し、G7で議論の場を設けることで一致するとともに、リスク評価や技術に関する国際基準を作成することになった。宣言では「民主主義の価値を損ない、人権の享受を脅かすAIの誤用、乱用への反対」も合意された。2023年5月19日に広島市で開幕したG7広島サミットのセッションで、岸田文雄首相は「人間中心の信頼できるAI」の構築のため、「信頼性のある自由なデータ流通」の具体化に向けた国際枠組みの早期設立への協力を呼びかけ、議長国として「相応の拠出も含め、貢献していく」と語った。広島サミットでChatGPTなど生成AIのガバナンス強化に向けた「広島AIプロセス」が検討され、同年12月1日に生成AIに対応した世界初の包括的な国際ルールがG7で最終合意された。偽情報の拡散を防ぐため、ルールの対象を開発者やサービス提供者だけでなく利用者にも広げた。

憲法を専門とする山本龍彦・慶応義塾大大学院教授は、ChatGPTなど生成AIの台頭によって起こる問題について、こう指摘した。「運営会社の米オープンAIが3月中旬に公開した大規模言語モデル『GPT-4』は、AIが学習したデータの規模や中身を明らかにしていない。人間がどのような価値観に基づき、どのように調整したのかも明らかではない。それぞれのAIの癖について十分に説明されなければ、GPT-4の回答にかかっているバイアスの中身もわからない。GPT-4の回答次第で個人の認知過程が歪むということは十分にありうる」「生成ＡＩのポリシーやアルゴリズム次第で言語空間が大きく歪められ、主権国家が潰れることもあるかもしれない。限界はあるとしても、運営の透明性や説明責任を確保することは極めて重要だ」と発言している。ＡＩが政治利用された例として、２０１６年の米大統領選やＥＵ離脱を問う英国民投票でトランプ陣営やＥＵ離脱派を支援したケンブリッジ・アナリティカ事件をあげ、個人データをもとにした「心理的プロファイリングを用いた政治的マーケティングは、選挙運動としてとても有効だった」と指摘した。（２０２３年5月20日号『週刊東洋経済』）

米国では、ＣｈａｔＧＰＴを地方議会が取り上げた議題の公開データを平易な文章で要約するオンラインメディアがある一方、コスト削減のためＡＩによる記事作成を進めて２０２３年3月に従業員の１割超を削減したテック系ネットメディア「ＣＮＥＴ」のような事例も出現している。ＡＩが作った記事については、多くの誤りや盗作の可能性があるとの指摘も相次いでいる。（２０２３年7月12日付朝日新聞）

# 第Ⅵ章 楽観論を覆したインターネットの打撃

## 1　雑誌が受けた大きな痛手

書籍・雑誌の売り上げが１９９６年をピークに減少していったのは、インターネットの影響がある。

全国出版協会・出版科学研究所の『出版指標年報２０２３年版』によると、紙の出版物の推定販売額は１９９６年の２兆６５６４億円をピークに、２０２２年は1兆１２９２億円と約４割に低下。特に雑誌は全盛期の約３割に落ち込んだ。

中でも情報を文字で伝える情報誌は、即時性があるうえ無料の強みをもつネットメディアに壊滅的な打撃を受け、休刊が相次いだ。東京の映画や演劇、コンサートなどエンターテインメントの日程を掲載した情報誌『ぴあ』は１９７２年、ぴあ株式会社から創刊され一世を風靡した。若者から支持を集め、小劇場演劇の人気やバンドブームの後押しもあってピークの１９９０年代前半には約80万部に達したが、ネット時代になって部数が落ち込み、２０１１年に休刊した。やはり若者に人気があった１９７７年創刊の京阪神エルマガジン社（大阪市）の情報誌『Lmagagine（京阪神エルマガジン）』も、２００８年12月発売の09年２月号を最後に休刊へ追い込まれている。関西の地域情報の強みで最盛期の83年ごろには実売部数で約15万部あったが、インターネットとフリーペーパー（無料情報誌）に押されるようになった。

首都圏と関西圏のエンターテインメント情報誌として1997年11月と99年3月に講談社からそれぞれ創刊された『TOKYO 1週間』と『KANSAI 1週間』は、2010年6月に休刊になった。インターネットでの情報収集が一般的になり、創刊当時はそれぞれ33万部と35万部あった部数の減少が続き各約8万部になっていた。

分野が異なる他の情報誌も、打撃を受けた。1968年7月に創刊されたリクルートの新卒者向け月刊情報誌『就職ジャーナル』が2009年4・5月号で休刊となった。ピークは99年の9万部だった。さまざまなニュースを要約したマガジンハウスの情報誌『ダカーポ』は、2007年12月に休刊。溝川史朗第1編集局長は「インターネットやフリーペーパーの台頭で読者の情報収集手段が様変わりし、雑誌としての役割を終えた」と話した（2007年10月11日付朝日新聞）。朝日新聞社のパソコン誌『アサヒパソコン』（月2回刊）は2006年2月に休刊となった。1988年10月の創刊だった。KADOKAWAが発行するテレビ情報誌『週刊ザテレビジョン』は2023年3月1日号を最後に休刊となった。『月刊ザテレビジョン』と統合し、一部の企画や連載が移行となった。

出版物の売り上げ減によって、街中の書店も次々と姿を消していった。書店が一つもない「書店ゼロ」の市区町村が全国で2022年9月時点で、26・2%に達していることが明らかになった。書店や取次、出版業者らでつくる出版文化産業振興財団（JPIC）の調査でわかったもので、2017年に大手取次のトーハンが調べたときの22・2%より拡大していた。22年調査では、書店がないのは全国1741市区町村のうち456市町村あった。都道府県別では沖縄が56・1%と最も高く、長野の51・9%、奈良の51・3%と続いた。また、業界団体の日本出版インフラセンターの調査によると、2021年度の全国の書店は1万1952店で、10年前から約3割減っている。書店経営が厳しい背景には、ネット書店で本を買う人の増加のほか、人口減少、雑誌の売り上げ急減など様々な要因が指摘されている。(2023年4月3日付朝日新聞)

インターネットの社会的、経済的影響について米国で研究、コンサルティングをしているクレイ・シャーキーさんは2010年の著書『みんな集まれ!』(筑摩書房、原著は2008年)で、こう述べている。「かつてパブリッシングには印刷機が必要だったため、何かを発表する行為は人口のほんの一部の人々に独占されていた。そして、地理的に到達可能な範囲外に住む人々に情報発信するのはほとんど不可能だった。今日、インターネットに接続すれば、地球規模の無料のプラットフォームにアクセスすることができる。我々が手にしたコミュニケーションツールは安価である上に非常に優秀だ。また、この新しいツールは古い道具よりもはるかにフレキシブルで、画期的な利用に特に大きな効果を発揮する」

雑誌の休刊が相次いだ半面、2014年から集計を始めた電子書籍の国内の市場は、マンガを中心に8年で4倍超の約4662億円に成長。利益率の高い電子書籍市場の拡大に伴い、出版社の業績も復調。小学館は4期連続の黒字で、売上高も1000億円を突破。講談社も3期連続で当期純利益が１００億円を突破している。集英社に至っては、売上高が２０００億円に達した年度もあり、デジタルや版権などの「事業収入」は、いまや売上高の半分以上を占めている。マンガに限れば、２０１９年にデジタルと紙の比率が逆転し、デジタルと紙の比率は今や２対１と前者の方が大きく、差は拡大傾向にある。（２０２３年5月7日、Ｙａｈｏｏ！ニュース「進化するマンガのデジタル戦略」）

紙の出版物に電子出版を加えた出版市場は２０２２年が前年度比２・６％減の１兆６３０５億円となったが、19年から21年まで３年連続の増加に転じていた。９割近くがコミックを占める電子出版の売り上げは22年に５０１３億円と５０００億円を突破し、反転のけん引役となっている。

ただ、出版社が設けた正規のサイトではなく、海賊版で漫画などを無料で閲覧する利用者が相次ぎ、多額の被害が17年ごろから深刻化する事態が起きた。２０１９年２月には音楽と映像に限定されていたダウンロード規制の刑事罰の対象を漫画、イラスト、写真、文章、プログラムなど著作物全般に拡大する著作権法改正の方針が文化庁から示された。ただ、スクリーンショットも対象になることに文化審議会の小委員会から批判が出た。

このため文化庁は刑事罰の対象範囲を常習的に行った場合などに絞り込んだ。だが、漫画家や出版業界から「表現行為を萎縮させる」などと反発が出て、19年３月、政府は著作権法改正案の国会提出を見送った。20年６月に、違法とする要件を絞り込んだ著作権法改正案が成立した。ただ、アクセス数で広告収入を稼ぐ海賊版による被害は続いていて、その額は２０２１年の1年間で1兆円という推計もある。

一方、インターネットによって売り上げを大きく減らしたコミュニケーションツールは他にもある。はがきや封書といった郵便物だ。国内の郵便物数は２００1年度の２６３億通をピークに減り続けて22年度は約45％少ない１４４億通になった。日本郵便は郵便物が28年度にはさらに約20％減の１１５億通に落ち込むとみている。各種手続きのウェブ化やＳＮＳの普及による郵便物数の減少で郵便事業の収益が悪化しているため、総務省は２０２３年12月18日、25グラム以下の封書（定形郵便物）の郵便料金の上限を現行の84円から１１０円に改正する省令案を発表した。省令改正後、日本郵政は24年秋ごろに封書を１１０円へと約30年ぶりに値上げし、はがきも63円から85円にする。（２０２３年12月19日付毎日新聞）

## 2　生活に不可欠となり依存せざるを得ない石油との類似性

この本の冒頭で、想像以上に普及し生活に欠かせなくなり、依存せざるを得なくなったものとしてインターネットと石油の類似性に触れた。

石油に満たされ安定したヨーロッパと米国の経済は、１９５０～60年代に急成長を遂げた。１９５５年には米国内では５０００万台以上の自動車が登録された。１９０９年にドイツの化学者フリッツ・ハーバーが石油の力でアンモニアを製造して植物生育における自然の抑制を取り払い、メタンガスと圧力を応用し空気中の窒素をアンモニアに変えて窒素肥料をつくることが可能になった。１９４７年から79年の間で農業生産高は倍増し、窒素肥料以前の時代に世界人口は20億人以下だったが、79年には40億人を軽く超えていた。地理学者ヴァッツラフ・シュミルが示した、窒素肥料がなければ今日地球上に暮らす60億の人々のうち5分の2は存在しない、という計算を、米国のジャーナリストのソニア・シャーさんは２００７年の著書『「石油の呪縛」と人類』（集英社新書、原著は２００４年）で紹介している。

肥料と農薬だけでなく、収穫設備や産地からの運搬手段も、石油に依存するようになった。プラスチックは地球上で最も広く使用される素材になり、宇宙船、ゴミ袋、子供の玩具、義肢、ナイロン製ストッキング、アクリルのセーター、ビニールの床、救命胴衣などあらゆるものに使われた。シャーさんは「古風な木材、貝殻、木綿といった天然プラスチックは、単なる文化的遺物という地位に落とされた」と形容した。

シェールガスから分離されるシェールオイルによって、２０１４年に米国が原油生産量で39年ぶりに世界最大の産油国となった。とはいえ、石油の埋蔵量は有限と見られている。「石油の時代」がいつまでも続くわけではない。

埋蔵量の課題だけでなく、日本では三重県四日市市の石油化学コンビナートから排出される煤煙などで、１９６０年代からぜんそくなどの公害が社会問題となった。70年ごろには、ガソリン車の排気ガスなどにより東京などで光化学スモッグが発生、健康への影響が広がった。さらに、90年代から人類共通の課題として浮上した地球環境問題では、温暖化の要因と指摘されている二酸化炭素など温室効果ガスの発生の責任を、石油業界などは問われている。温室効果ガス削減の目標が立てられる中、従来のように野放図に石油を消費するわけにはいかなくなっている。これまで重視されてこなかった石油が抱える問題が顕在化した、といえる。

石油の次のエネルギー源として位置づけられていた「原子力」も、内在していた危険性が地震などによってあぶり出された。

神戸大の石橋克彦名誉教授（地震テクトニクス）は2011年の編著書『原発を終わらせる』（岩波新書）で指摘した。「日本の既存原発は、建設ラッシュが始まった一九六〇年代後半から七〇年代前半が現代地震学の誕生・普及前夜で、かつ日本列島の地震活動静穏期だったために、多くが活断層やプレート境界巨大断層の直近に建てられ、古い地震学にもとづいて地震と地震動と津波が甘く想定された。そして、地震の本当の怖さを知らずに、工学技術で耐震性が確保できると考えられてきた」。石橋名誉教授はこうも書いている。「〇七年七月の新潟県中越沖地震（M六・八）で東京電力柏崎刈羽原発の全七基の原子炉が強震動被害を受けたとき、私は、日本列島が大地震活動期に入っているという認識も踏まえて、九七年以来警告してきた『原発震災』が日本社会の現実的緊急課題になったと確信した。新潟県でそれが生じなかったのは、地震が中型で大余震の続発がなかったなど、運がよかったにすぎないからである」

その延長線上で起きたと位置づけられるのが、2011年の東京電力福島第一原発事故だ。マグニチュード9・0の地震で原発が停電になり、襲来した大津波で予備の電源まで奪われた結果、大規模な炉心溶融が引き起こされた。「〇七年の地震被災後の健全性が不確実で直下の余震発生が懸念される柏崎刈羽原発や、中央構造線活断層系に面した伊方原発のほか、全国ほとんどの原発が明瞭な地震可能性を抱えている」とも、石橋名誉教授は主張する。

さらに、石橋名誉教授が問題視するのは、原発から出てくる高レベル核廃棄物の最終処分の候補地が決まっているのは世界中でフィンランドのオンカロだけとして、10万年間の監視が必要な核廃棄物の安全な管理方法の回答について日本をはじめ大半の国々が持っていない、という現実だ。

同じ『原発を終わらせる』で、九州大教授（科学技術史）だった吉岡斉さんは、福島第一原発事故の安全対策における欠陥を三つあげている。「最大事故についてのシミュレーションの欠如」と「指揮系統の機能障害」「原子力防災計画の非現実性と避難指示の遅れ」だ。三つの欠陥の背景にあるのが「原子力安全神話」にほかならないと批判する。原子炉施設の安全性に不備があるというメッセージを社会に発信するのがタブーになっており、「福島第一原発では負のイメージ形成を避けるという本末転倒の理由で、安全対策強化が見送られた可能性がある」と述べている。

資源小国の日本にとって、いまだに着工にさえ至っていない核増殖炉を軸として少量のウランで永続的にエネルギーを確保できる「核サイクル」という夢物語の楽観面だけを見つめてきた国のエネルギー政策は、ネットの長所ばかりに光を当てた未来予測と重なる。

## 3　テクノロジーが引き起こす会話離れ

徳島新聞社、NTTレゾナントを経て法政大教授（ソーシャルメディア論）となった藤代裕之さんは2021年の編著書『フェイクニュースの生態系』（青弓社）で、次のように記している。

「ソーシャルメディアの登場は、マスメディア＝送り手、視聴者や読者＝受け手という一方的な関係が双方向になり、人々が生態系の一員としてメディアと主体的に関わっていく契機になると考えた。しかしながら、ニュースの生態系は『Facebook』や『Twitter』というソーシャルメディア、『Google』などのプラットフォームを運営する巨大なグローバル企業に支配され、人々はそのなかに組み込まれていった。ソーシャルメディアが登場したとき、希望や可能性を見いだしたのは、自らが考える理想的な利用方法やあるべき姿を前提に議論を進めていなかっただろうか」

なぜ、インターネットが期待された輝かしい未来をもたらさなかったのだろうか。

現在、個人がSNSなどで複数のアカウントをもつのは可能になっている。アカウントごとに個性を変え、別人格を装うことができる。破綻なくコミュニケーションを取ることは不可能ではない。しかし、「分裂」した人格を演じ分けているかもしれない相手に、対面と同じように全人格的な信頼関係を構築できるものだろうか。電通の調査では、キャラ（自分の見せ方、立ち位置、性格／人格）の使い分けは、平均で3・3個あるという。多面性を持ちうる利点以上に、統一的な人格の喪失によるマイナスがあるように思えてならない。

匿名性を保障するネットが、コロナ禍によって対面による接触やコミュニケーションがさらに減少し、人間関係に大きな影響を与えたと思えなくもない。実証的な研究はまだ行われていないかもしれないが、もし本音をさらけ出す人間のつきあい方が減り、社会に影響を与えているとすれば見過ごせない。学校でのいじめに影響していないのか。計算ずくの人間関係が世の中に変化をもたらしているとはいえないだろうか。

作家の平野啓一郎さんは2012年の著書『私とは何か』（講談社現代新書）で、インターネットが本格的に広がり始めた2000年代初頭に友人が書いたブログを読んで驚いた体験を記している。「ふだんは穏やかで、どちらかと言うと口数の少ない彼は、ブログではやたらと饒舌で、聴いた音楽や読んだ本の批評など、かなり辛辣だった。端々に書かれている事柄から、間違いなく、私の友人だったが、話題の選択といい、語り口といい、私の知っている彼とはまったく別人のようだった。ビックリしたのは私だけでなく、共通の友人たちも、『アイツ、本当はああいうヤツだったんだなあ』と、呆れたような顔で言っていた。ネットが更に普及するにつれて、その後も何度かこういうことがあった。ミクシィの日記でも、ツイッターでも、現実に私が知っている姿と、ネットの中の姿とは必ずしも合致しない。そのうちに、まったく驚かなくなった。人々には色々な顔がある。――それは、ネットが登場する以前から、多くの人が知っていた。しかし、それが可視化されたインパクトは、決して小さくなかった」

平野さんは、どっちが「本当」の姿が決めようとすること自体が不毛と思えてきたとして、リアルとネットの間に、本当と虚構の境界線を引くことは間違い、という立場を表明している。「本当の自分」というのは神話であり、「たった一つの『本当の自分』など存在しない。裏返して言うならば、対人関係ごとに見せる複数の顔が、すべて『本当の自分』である」と言い切る。対人関係ごとの様々な自分である「分人」の複数のネットワークが一人の人間と位置づけている。

インターネットやソーシャルメディア、ロボットなどのテクノロジーの進展と人間の関係を子細に研究してきた人もいる。米マサチューセッツ工科大の臨床心理学者であるシェリル・タークル教授は当初、テクノロジーが人間に与える影響についてポジティブな側面に注目していた。インターネット時代のアイデンティティをテーマにした1998年の著書『接続される心』（早川書房、原著は1995年）では、複数の人がオンラインで会話しながらゲームをする「MUD」に自ら参加した際、「ヴァーチャルな女性になるよりもヴァーチャルな男性になるほうが楽しそうだということ」を実感した。「そっけなくてキス・ゲームなんかしそうになくても、男の子ならすかしてるとも言われない。ひっこんでいて女の子にダンスを申し込まなくても、壁の花とひとくくりに言われてしまうことはない。ただ男らしくシャイなだけ——超然と、達観した位置にいる」と述べている。MUDで1年近く女性キャラクターを演じてきた男性コンピュータ・プログラマーのギャレットは「協力や助力を惜しまない人間になりたかったんです。女性のほうがそうしやすいかと思って。……男として育って、ぼくはなわばり意識や競争心が強いもんですから。（中略）女性的なコミュニケーションの仕方は、男性的な仕方よりも生産的だと身にしみて感じました」という感想を伝えている。

MUDでの体験や観察、インタビューなどを踏まえ、タークル教授は「私たちはユートピア的な考えを信じたい気持ちにかられる。インターネットは参加民主主義の成熟する場であり、教育の質を変える媒体であるという考えを。私たちは、ヴァーチャルな娯楽を予想するユートピア的理想主義者たちの興奮にあやかりたい気持ちにかられる。離れたところにいる相手とのセックス、からだを動かしてどこかに行かなくてはならないという危険も不便もない旅行」という考えを表明している。「十五年ほど前、子どもたちがパーソナル・コンピュータに両手をいっぱいに差し伸べて駆け寄り、親たちは後ろ手におずおずと近寄っていたころ、コンピュータ中毒だとかコンピュータの催眠性だとかいうことが盛んに言われた。当節ではインターネットが新手の未知なるものである」としたうえで、「インターネットでひどい目にあって（いじめられたり、セックスに誘われたりすることだってあるかもしれない）善後策を講じられるのは、親に話ができる子どもなのだ」と、テクノロジーの課題を解決するのは信頼できる大人の役割であり、可能なはずだ、と当初は強調していた。

しかし、タークル教授は、テクノロジーが人間関係を希薄にすることに警鐘を鳴らす立場へと転じるようになった。

２０１８年の著書『つながっているのに孤独』（ダイヤモンド社、原著は２０１１年）では、ニュージャージー州郊外の男子校ハドレー高校の最上級生ブラッド（18）が、フェイスブックで破綻のないストーリーをまとめプロフィールを見せていく姿を描いている。お気に入りリストに入れるべき映画はどれで、退屈な人間とか性差別主義などと判断されそうな映画はどれだろうと考える。好きな本は『ハリー・ポッター』シリーズと書けば、少年のような心を持っているという好印象を与えるかもしれないが、セクシーと見られなくなる。実生活では何かクールでないものが好きだったとしても、実際にはクールなやつだとわかってもらえるプロフィール欄の自己像は、正しい選択肢と間違った選択肢の集合体でしかない。ブラッドの「ネットは〝本当の自分〟であることを許してくれない」という不満を紹介し、「フェイスブックでは広く全員に向けて自分を演じることしか知らない」という姿が描かれている。その後、ブラッドはフェイスブックを中断し〝デジタル断ち〟するに至った。デジタルのつながりを放棄することは、「空疎な会話を３つ犠牲にして、誰か１人と人間的なすばらしい交流をすること」と表現し、「30人の友だちみたいなものと、５人の本当に親密な友だちと、どっちがいい？」と問いかけている。

タークル教授は演じることのプレッシャーに疲れてデジタルをやめる子がいると述べ、「常時接続しているのに、誰も自分のことをきにかけていないという感覚」が、いまの若者に特有の弱さだと指摘している。「私たちはオンラインで自分のペルソナをつくりあげ、新しい容姿、家、仕事を持ち、恋愛までする。ところが突然、バーチャル・コミュニティの薄明りの中で完全に一人だと感じる。四方八方に自分を発信しながら、自分を見失う。何時間もつながっているのにコミュニケーションできていないと感じる。逆に、ほとんど注意を払っていないときに親密さを感じることがあるという人もいる」と、直接会わなくても人とつながれるようになった21世紀の人間を表現している。社会学者のデイヴィッド・リースマンが1950年代の著書で述べた、アメリカ人の自意識が内的志向から他人志向へという変化について、今日の携帯電話の普及で他人志向がさらに高まっている、とタークル教授は分析している。「自分の中に確固たる目的意識がないと、人は自らを検証するのに他人を当てにするようになる」と。

スマホの普及により家庭や学校、職場でメールやショートメッセージでのやり取りが中心になり会話離れが起こっていることをテーマに、その影響を掘り下げた2017年の著書『一緒にいてもスマホ』（青土社、原著は2016年）では、タークル教授は「ソーシャルメディアが妨げているものが、実は私たちにとって必要なのだというも、私たちはわかっている」と指摘し、「テクノロジーは人生の知恵を忘れさせてしまう」と言い切っている。教職員の相談に乗ってほしいと依頼を受けたニューヨーク州北部の私立の中等学校（小学校高学年と中学校に相当）での見聞や大学生へのインタビューなどをもとに、最新の研究成果を踏まえて、テクノロジーの普及が人間同士の生の会話を減らした結果、他人への共感を減らすなど見過ごせない弊害が広がっていることを具体的に取り上げた。

例えば、大学生の友人を二人ひと組にしてフェイス・トゥ・フェイスの会話、ビデオチャット、音声チャット、オンライン・インスタントメッセージの四通りの方法でコミュニケーションしてもらった結果、生の会話が感情的つながりを最も強くし、オンラインではつながりが最も弱かったという研究結果を紹介している。認知心理学者のクリフォード・ナスさんは10代女子を対象にした調査では、オンライン接続を多用する女子は、他人の感情を識別する能力や自分の感情を識別する能力があまり高くなく、ソーシャルメディアをあまり利用しない女子のようには、友人たちと交流してポジティブな感情を抱かないという結果だった。

米国の成人は平均して6分半ごとに自分のスマートフォンをチェックし、10代の米国人の4分の1は起きてから5分以内にデジタル機器にコネクトし、10代のほとんどが一日に100通のメールを送信、80%がスマホをそばに置いて眠る現状を伝えている。そのうえで、「会話は編集したり見直して修正したりできないので怖い」という高校三年生男子の言葉や、「求職であれ求愛であれ重要なメールならば、書いたものを友だちに見てもらって、〝適切に〟伝わるかどうか相談することもよくある」という実態を活写している。

日本でも、少し古いデータとなるが、2001年と2011年に12～69歳を対象としたモバイル・メディアの利用実態調査をもとに、筑波大准教授だった石井健一さん（社会工学）は「興味深いことに、2011年には、友人との連絡に（他のタイプと比べて）、ケータイの通話を回避する傾向が見られる。つまり、家族や友人と比べると友人にはケータイで話をすることはあまり好まれないといえる。一方、恋人とは2001年と2011年ともにケータイ（通話・メール）が多く使われる傾向が見られる」と報告している。（松田美佐・土橋臣吾・辻泉編『ケータイの2000年代』、東京大学出版会、2014年）

タークル教授の著書『一緒にいてもスマホ』によると、ニューヨーク州の中等学校の学生部長が、生徒60人あまりに「友人に望むもの」を3つ挙げてもらったところ、回答で信頼、思いやり、やさしさ、同情を挙げた生徒は3人しかおらず、ほとんどの生徒が、笑わせてくれる相手、楽しませてくれる相手に関心があった。この学校の女性教師は「友情が、相手は自分のために何をしてくれそうかという考えに基づいたものになっているようだ」と言い、生徒たちの友情が感情的な結びつきから、「誰が応援してくれるのか」とわかってから手段として登録されるものに変わった、と悲しみを語っている。「愛着をつかさどる脳の各部が発達するためには、子供のうちにアイコンタクトをしておく必要がある」という精神科医ダニエル・シーゲルさんの著作の指摘も紹介されている。

タークル教授が新しい種類の教育の場として期待しプロジェクトに取り組んでいた大規模公開オンライン講座「MOOC」についても、研究の結果、「オンライン・クラスの学生たちはフェイス・トゥ・フェイスの指導を含むカリキュラムのほうが成績が上がる」とわかった。スタンフォード大での先駆的なMOOCの協同創設者は、オンラインではチームワーク、道徳、不安を抑える能力は身につけられず、教室で教えてくれるものだ、と言っている。

協調を研究するマサチューセッツ工科大メディア・ラボの元研究員ベン・ウェイバーさんは「フェイス・トゥ・フェイスの会話は生産性を高めることにつながるとともに、ストレス解消にも結びつく」という研究結果を出した。現場でも、会話を増やす試みが進められている。財政難に陥ったとき、スターバックスは客とバリスタのあいだの会話の重要性に着目し、従業員全員がネームプレートを着け、カウンターを低くし、会話をしやすくしたことでブランドを立て直した。アップルでデジタル機器を開発してきたスティーヴ・ジョブズが自分の子供たちにiPadやiPhoneの利用を勧めなかったとして、「ジョブズの家庭で重視されるのは会話だった」という伝記作家の報告を伝えている。

## 4　民主主義に相反するデジタル・テクノロジー

英シンクタンク「デモス」のディレクターでジャーナリストのジェイミー・バートレットさんは2008年以降、疲弊した政治システムにデジタル・テクノロジーがどのようにして新しい命の息吹を吹き込むのかという記事を書いてきたが、「当初の楽観主義は年とともに現実主義へと横滑りし、やがて居心地の悪さへと変わっていった」と告白し、いまでは「テクノロジーと民主主義は水と油の関係」とタークル教授と同様に忠告するようになった。バートレットさんは2018年に原著と翻訳が刊行された『操られる民主主義』（草思社）で、「テクノロジーが進歩した結果、まぎれもない恩恵とこれまで以上の個人の自由が得られた。だが、それと引き換えに、政治システムを機能させる根源的な要素の多くが蝕まれていくのを私たちは許してしまった。その要素とは、政府の支配力、議会主権、経済的平等、市民社会、正しい情報を判断できる市民の存在である」と主張した。

自分の意見と好みを入力するとコンピュータが政党を選んでくれるというアプリの設計をバートレットさんらがシンクタンクで手伝い、2015年にあった英国での総選挙を前に「役に立つ」と触れまわったが、いまはまったく反対の考えになった、と述懐している。「このアプリは目先の便宜を図ってくれるが、それは将来にわたる私たちの判断能力を蝕むという犠牲を伴うと固く信じるようになった。こんなものはことごとく捨て去らなければならない」。

バートレットさんは、モラルと政治に関する大部分の判断を人間がコンピュータに委ね始める「モラル的特異点」に警告を発している。「アルゴリズムがさらに進化の速度をあげ、ますます性能を高めていくことで、手軽さや速さ、あるいは無知を理由に、こうした煩わしさから逃れたい思いはますます募っていくだろう。しかし、そんなことになれば私たちは自由に考える能力を手放さざるをえなくなり、コンピュータへの依存はますます深みにはまっていく」。日本でもある全国紙が国政選挙などの際、候補者が回答したアンケート結果とユーザーの同じ質問に対する答えについて、どの政党や候補者と政策への考え方を数値化して一致度を知らせるサービスをネット上で２００７年から行っているが、バートレットさんはどうとらえるだろうか。

「一九九〇年代、多くの者が、インターネットによって独占は消滅し、ネットは独占を生み出さないと予言した」「ネットは脱中央集権的で、新たに結びつきながら、必然のなりゆきとして、競争原理が機能する分散型の市場が成立するという考えが広く支持されていた」と記したうえで、「いまになってみれば、デジタル・テクノロジーの本質とは、独占を阻むのではなく、むしろ作り出す点にあることは明らかだ。独占が生まれる最大の理由は、ネットワーク効果である」と断言した。それぞれの業界における独占もしくは寡占状態にある企業として、下記のように列挙した。グーグル（検索エンジン、ビデオ・ストリーミング配信、オンライン広告）、フェイスブック（ソーシャルネットワーク、メッセージング、オンライン広告）、ウーバー（ライドシェア）、エアビーアンドビー（ホームシェアリング）、アマゾン（オンラインリテール、とくに書籍とクラウド・コンピューティング）、ツイッター（マイクロブログ）、インスタグラム（フォトシェアリング）、スポティファイ（音楽ストリーミング配信）。

データサイエンティストのキャシー・オニールさんは２０１８年の著書『あなたを支配し、社会を破壊する、ＡＩ・ビッグデータの罠』（インターシフト、原著は２０１６年）で、米国とインドで誰に投票するか決めかねている有権者に対する2人の研究者による報告を紹介している。有権者に次の選挙について詳しく知るために検索エンジンを使うように依頼したうえで、一方の政党が他方の政党よりも好まれるよう検索結果を歪めるようプログラムされた検索エンジンを使用した結果、投票の選好は20％移行した。

オニールさんは、オバマ候補とロムニー候補が争った大統領選前の3カ月間、フェイスブックが政治に関わる利用者約200万人を対象にニュースフィードのアルゴリズムに変更を加え、硬派なニュース記事が流れる割合を増やしたところ、選挙後のアンケートで投票に参加した人の割合が64％から67％へとわずかに上昇した、と伝えている。米国人の73％が検索結果は正確かつ中立であると信じているというピュー研究所の報告を踏まえたうえで、オニールさんは「フェイスブックやグーグルのアルゴリズムは政治的な数学破壊兵器とは呼べない。両社とも、自社ネットワークを使って害を及ぼしていることを示す証拠が見当たらないからだ。とはいえ、不正使用される可能性はきわめて大きい」と警告している。

「共感する能力を身につけさせる対面での会話こそが重要」と主張するタークル教授に賛同する米ジョージタウン大のカル・ニューポート准教授（コンピューター科学）は2019年に原著と翻訳を刊行した著書『デジタル・ミニマリスト』（早川書房）で、ソーシャルメディアをはじめとしたテクノロジーが健全な範囲を超えた量の時間を食い、もっと価値の高いほかの活動が犠牲にされた結果、「コントロールを失いかけている」と私たちを不安にさせていると指摘。

テクノロジーを使う時間を大幅に減らす「デジタル・ミニマリスト」への転身を提唱している。声や顔の表情といった感覚的な手がかりが豊かである電話やビデオチャットのおしゃべりを含んだ「会話中心コミュニケーション主義」を打ち出し、メールやテキストメッセージを単なる接続手段に格下げし、会話を支援する存在にすべきだと訴えている。

ニューポート准教授は「遠く離れて住む友達と連絡を取り合うためにフェイスブックを始めたのに、いつしか目の前にいる友達との会話を続けることができなくなっている」「元気の出る写真をいつでもインスタグラムで探せる自分の力をありがたく思う一方で、以前なら友達とおしゃべりをしたり本を読んだりして過ごしていた夜のひとときに割りこんでくるインスタグラムに神経をすり減らす」といったデバイスに使われているような現代人の日常を活写する。「デジタル・ツールは使わずにいられなくするように設計されている。しかもその行為依存を助長する文化的な圧力はすさまじく、小手先の対処法ではとうてい歯が立たない」として、「デジタル片づけのプロセス」を掲げた。①三〇日のリセット期間を定め、必ずしも必要ないテクノロジーの利用を休止する②この三〇日間に、楽しくてやりがいのある活動や行動を新しく探したり再発見したりする③休止期間が終わったら、まっさらな状態の生活に、休止していたテクノロジーを再導入する。その一つひとつについて、自分の生活にどのようなメリットがあるか、そのメリットを最大化するにはどのように利用すべきかを検討する、と提案した。より具体的には、片づけの対象としてコンピューターまたは携帯電話のスクリーンを介して利用するアプリ、ウェブサイト、ツールなどをあげている。

デジタル片づけを実践した電気技師は例えば、メールで数十種類のニュースレターで最新ニュースをチェックしていたのを、重要なニュースを報じた記事三本について公平に選んでリンクを張っているニュースサイトを日に一度だけチェックするようになった。別の参加者は、友達に電話をしたりテキストメッセージを送ったりする時間を定期的にスケジュールに組み込み、かけがえのない友人との関係は維持する一方で、多くの友人が期待する軽めのつきあいは犠牲にした。

ニューポート准教授は、ソーシャルメディアが人を孤独にするのか、それとも喜びをもたらすのかについて、研究論文でも二分されている、と指摘する。そのうえで、フェイスブックでの利用が増えれば、オフラインでの交流が減るというトレードオフの関係にあるという社会心理学の研究結果を紹介、「重要なのは、ソーシャルメディアを利用すると、それよりもはるかに価値の高いリアルの世界での社交の時間が減るだろうということだ」と強調した。「人はこれほど多くの人々と連絡を取り合うようにはできていないと思う」というソーシャルメディアを研究する学者の言葉を引用し、「人が安定して維持できる人間関係の規模は一五〇人程度」という数字をあげている。さらに、「あなたが誰よりも信頼を置いている人々がその問題についてどう考えているかをチェックしたほうが、ツイッターのハッシュタグ検索のぬかるみや、延々と続いてあなたのフェイスブックのタイムラインを埋めていくコメントの山をかき分けるより、よほどためになるということだ」と結論づけた。

タークル教授が取り上げたオンラインゲームのプレイヤーのジェンダー・スイッチングについては、桜井政成・立命館大教授（社会学）が2020年の著書『コミュニティの幸福論』（明石書店）で、375人を対象としたR・M・マーティさんらの2014年の調査結果として、男性プレイヤーの23％、女性プレイヤーの7％で見られた、と紹介している。別の研究とあわせ、「実際の社会のジェンダー規範にとらわれて行動している一方で、異なる性別を気軽に、楽しく演じているという可能性もみられる」と指摘している。

桜井教授は、SNSでの他者との関わりが幸福感や満足感に与える影響について、初期の研究では過度のSNS閲覧が健康や幸福感を損ねる可能性が協調されがちだったが、新しい研究では実名登録が基本のフェイスブックを対象にした場合は、人生の幸福度にある程度、正の関連があるということを報告。ただ、フェイスブックの「友達」の数が多いほど幸福感が増すという研究結果の一方で、利用者の性格を考慮に入れると、「友達」の数と幸福度の関連性は消えたという研究もあるという。もともと社交的だからフェイスブックの「友達」の数も多いし幸福度も高いということらしい。また、オランダの心理学者P・バーデンさんらの論文では、SNSを受動的に使用すると幸福度を低くする関係が見られた。受動的な利用は社会的な比較や羨望の念を引き起こすため、と見られている。友人の「リア充」的な投稿を目にすることで自分と比較するためで、SNSでの社会的比較が生活の満足度を下げるという調査結果は日本でも示されている。

フェイスブックを利用するアメリカの大学生391人を対象とした研究では、「正直な自己表現をすることによって、他者からのソーシャルサポートに影響し、幸福感を高める可能性」が見られたとして、桜井教授は、SNS上で見栄を張らず、受動的な利用で他人と比較せず、正直に自己開示することを勧めている。

また、日本におけるSNSの受動的な利用について、電通メディアイノベーションラボの天野彬主任研究員が2019年の著書『SNS変遷史』(イースト・プレス)で、18年に総務省が発行した情報通信白書のデータに基づき取り上げている。「日本では、『ソーシャルメディアがあまり使われていない』という事実——より正確に言うならば、自分からの発信に乏しく、新しい人間関係やつながりを創出する使い方が弱いという実態——が見えてくるのだ」と、天野主任研究員は指摘している。総務省の「ICTによるインクルージョンの実現に関する調査研究」(2018年)では、日米英独4カ国のSNS利用によるメリットの比較調査から、日本は「暇つぶしができた」や「自分が興味のある情報を得ることができた」では他国と変わらないものの、「新しい友人ができた」「相談相手ができた」といった新しいつながり創出や、「家族や友達との結びつきが深まった」「しばらく連絡をとっていなかった人と再び連絡をとるようになった」という既存のつながり強化の面で他国と比べ大幅に劣っているという実態が示された。2017年の電通イージス・ネットワークの国際比較によるデータでも、「デジタルテクノロジーが、貧困、健康問題、環境破壊などの脅威への解決に、資すると思うか」の質問に対し、日本は他国より肯定の回答が大幅に下回り、デジタル・テクノロジー全般への信頼が高くない結果となっている。

ネットワーク論を専門とする西垣通さんは1996年の著書で、「誰でも自分の現実の姿から逃げだし、別の自分になって行動してみたい、という根強い願望をもっています」「さまざまな姿にめまぐるしく変身しながらサイバースペースを駆け巡る――これはなかなか楽しい夢ではあります」としたうえで、「下手をすると落とし穴にはまり、自分を失ってしまうおそれがあるのも事実でしょう。変身というのは高級な遊びで、それを楽しむためには、しっかり自分自身を把握する力をもっていなくてはなりません。さもないと、ただ逃避するだけになってしまうからです」と提言している。（『インターネットの5年後を読む』）

デンマークと米国でジャーナリストとして活動したあと英カーディフ大教授に転じたカリン・ウォール＝ヨルゲンセンさんは2020年の著書『メディアと感情の政治学』（勁草書房、原著は2019年）で、「初期のインターネット研究者たちは、社会的慣習から解放された参加者たちが、自分たちに攻撃的な見解を持つとみなす人々に対して罵り、誹謗中傷し、攻撃し、無礼な振る舞いを行うことを明らかにした」と述べたうえで、「オンライン上での反社会的な情動表現の有害な影響をめぐるこうした懸念の結果、ソーシャルメディアのアーキテクチャの構築にとって感情表現をめぐる問題が大きくなった」と指摘した。

フェイスブックが約70万のユーザーを対象にした2014年に報告された実験について、「ユーザーのニュースフィードの操作によって情動感染の効果が示された」という結果をウォール＝ヨルゲンセン教授は明らかにした。「肯定的な表現（を伴った投稿の表示）が減らされると、人々は肯定的な投稿をあまりしなくなり、より否定的な投稿をするようになった。否定的な表現が減らされると、反対のパターンが生じた」として、「フェイスブック上の他者によって表現された感情が私たち自身の感情に影響を与える」という問題点を提示した。さらに、「私たちのネットワーク化された自己は感情をめぐる自己をも構築する。そしてこれらの感情をめぐるネットワーク化された自己は、限定的な範囲の感情しか提供しないプラットフォームのアーキテクチャによって形成されているように見える」と危機感を表明した。

政治学者の東京大先端科学技術研究センターの牧原出教授は「グローバル化を加速させたデジタル技術の革新には、別の危機が潜んでいます。ネットはGAFAのようなプラットフォーム企業の経営者や、ロシアや中国に代表される権威主義リーダーの欲望に適合的なツールとなっています。多くのユーザーにとっては情報の発信や入手の手段ですが、フェイクや罵詈雑言の場ともなりました」と喝破した。（2023年6月28日付朝日新聞）

ロンドン大スラブ東欧学研究所名誉教授（政治学）のマーク・ガレオッティさんは2022年の著書『武器化する世界』（原書房、原著は2021年）で、「私たちは他人の投稿をちゃんと読まずに、まして深く考えずにリツイートしてしまう。自分の思い込みと一致するニュースを簡単に受け入れてしまう。基本的に丁寧な表現の意見に賛成してしまう。その一方で、自ら好んで議論をふっかけたり、誹謗中傷したり、事実を歪曲したりする」と指摘したうえで、「他人に期待するオンラインの倫理を自ら実践することや、プラットフォームとしての責任を果たさないSNSサービスの使用をやめることは、私たち自身にゆだねられている」と、それぞれの態度の重要さを説いている。

ところが、日本ではSNSには自分の意見や感情に近い情報が表示されやすいことを「知っている」と回答した人の割合が38・1%と、7〜8割だった米国、ドイツ、中国の3カ国に比べて大幅に下回ったことが、23年7月に出された総務省の情報通信白書で指摘されている。偽情報を防ぐための「ファクトチェック」の22年の認知度調査でも、日本は「知っている」が46・5%で、9割を上回った米国や韓国をはじめ英独仏の中で大きく引き離されて最下位だった。

荒れることのない平穏な場は、ネットにおいては極めて珍しい存在となっている。その希少さが、ネットの荒々しい現状を示している。輝かしかったはずの未来図が裏切られたネットの現在地がそこにある。

# エピローグ

「私たちは、川本裕司と高田圭子。朝日新聞の記者。社会部でメディアを中心に取材している。パソコンを持ち歩き、メモや原稿を電子ネットを使ってやり取りする。そして……」。1997年、同僚の高田圭子記者と連載記事「情報が凶器に変わる日　匿名ネット社会を考える」をメディア欄（第3社会面）で手がけた。書き出しで2人の記者名を明らかにする思い切った表現と連載タイトルを考えたのは石井勤デスクだった。

「インターネット版部落地名総鑑CD-ROM」の販売、女性の実名や連絡先を表示したうえでの賞金付きのレイプ依頼、ポルノ写真と合成した女性ヌードの掲示板への張り出し。電子ネットの匿名性の背後で起きていることを伝えた。大学の端末に設定した個人ファイルをのぞかれ行動が筒抜けになっていたり、大学の同級生に大量の匿名メールを送りつけたりと、欲望や悪意が増幅されているネットの実態を報じた。ネット接続サービス打ち切りの会員向け偽メールや実在する会社名をかたったデマメールといった実害につながりかねない動きも、すでに起こっていることを明らかにした。

バラ色に包まれた「ネットの未来」論への疑問から始まった連載だったが、その後の変遷を見ると、初期からネットの弊害は表出していたといえる。2023年6月には、全国の被差別部落の地名をまとめて16年に川崎市の出版社が販売しようとしネットに公開した問題で、東京高裁が出版禁止とサイトからの削除、賠償を命じた。一審判決から救済の対象が広げられたとはいえ、写真や動画の転載などネットでの差別助長は解消していない。

私自身も「炎上」に近い体験をしたことがある。2020年4月20日、朝日新聞デジタルの課金制の言論サイト「論座」（2023年5月に終了）で、「コロナ報道におけるテレビ朝日・玉川徹コメンテーターへの疑問」という論考を書いたときのユーザーの反応は激しかった。

テレビ朝日のワイドショー「羽鳥慎一モーニングショー」で、4月7日に7都府県へ緊急事態宣言が出された直後、出演していた政治ジャーナリストの田崎史郎さんが、外出自粛を要請し感染者数を抑制し「2週間の様子を見てから」という政府の方針を説明したところ、玉川さんは「旧日本軍がやって大失敗した戦力の逐次投入をやろうとしている」と批判的な発言をした。ところが、この数日前、コロナ感染で減収に見舞われた人たちの救済策として、玉川さんは「スピードを優先させ、まず現金を配る。足りなければまた配ればいい」と番組で主張していた。現金給付については逐次投入の姿勢を示していた玉川さんの一貫性の欠如を論考で指摘し、コロナ問題など生命に関わるテーマでは知見のある専門性のあるコメンテーターを起用すべきではと提言すると、反発のコメントが殺到した。

5月2日までに寄せられたこの論考のコメント欄への投稿は約510件あった。同一内容のダブリ投稿などを除く501件を分析すると、私の意見に賛成し玉川氏を批判するものが68件。逆に、私を批判し玉川さんを支持するものが318件あった。また、それぞれの賛否にふれない中立的な内容が115件あった。私への賛成論では「『醒めた客観的視点』は異色に見える」「これまでにない多様で幅の広い議論を交わす場を作りたいという気構えが有る」「朝日新聞記者として系列ワイドショーの矛盾を指摘出来る事に良い意味で驚きを感じた」という評価があった。一方、「玉川さんのコメントは人間に対する愛情と正義感が溢れていて、聞いていると勇気が出てきます」「政府の批判封じ込めに協力する川本氏を軽蔑する。こんな人が朝日新聞の記者とは情けない」「一番まともな報道番組のコメンテーターを非難することの意味は、安倍氏を守るためとしか思えない」「御用記者の浅はかな論理を展開しています」「戦場では、鉄砲の弾は後ろから飛んでくることもあります」という感想が多数派を占め、当時の安倍政権と絡めた意見も少なくなかった。中立的な立場からは「自己主張を前面に出す玉川氏のキャラクターに面白みがあるんであって、コメンテーターに専門性を求めること自体『間違っている』」という声もあった。

論座のこの論考が掲載されてから8日後の4月28日、玉川さんは番組で「土日は行政機関が休みになる」として、東京都のコロナ陽性者の39件は「全部、民間の（PCR）検査」と発言した。ところが、土日も都は検査しており、玉川氏は翌29日の放送で「事実誤認があった」と訂正し謝罪した。論座のコメント欄にも「川本氏の危惧が起こった」「川本氏の考察が正しいことが明らかになった」という投稿はあったものの、大勢に影響はなかった。

先ほど引用したコメント文はそれなりに理屈を展開した内容だったが、残りの大半は一言で切り捨てたり、罵詈雑言を投げつけるような中身だった。しかも、ほとんどは「no name（無記名）」か「ハンドルネーム」という匿名の発信だった。「論座」はそもそも２０１０年、無料が主流のネットでニュースに関わる課金制の媒体を試みようという狙いで発足した。いち早いニュースの解説や独自の論考を識者や朝日新聞記者らジャーナリストが執筆する実験的な言論サイトで、量よりも質をめざしていた。当初は編集者として専従の社員が１人、兼務が私を含め３人ほどの小規模の態勢で契約者ゼロから立ち上げた。契約者は年々増え数千人に増えていったが、２０１８年から編集部として「ページビュー拡大」の路線に転換、無料記事を増やしたり、論考の書き出しから数十行で新たなページに移っていたのを数行に短縮するなどの編集方針にした結果、ページビューは稼いだもののコメント欄での「荒れ」が目につくようになった。玉川さんに関する論考のコメントはその典型だった。

訂正・謝罪からさらに３年後の２０２２年９月28日の放送で、玉川さんは死去した安倍晋三元首相の国葬で菅義偉前首相が読んだ弔辞について「電通が入っている」と事実誤認の発言をして、10月４日、テレビ朝日から謹慎10日間の懲戒処分を受けた10月19日の放送では「私の慢心とおごりがあった」と述べ、コメンテーターから外れ、取材の報告という形での出演に切り替える、と自身で表明した。ところが、玉川さんを支持する「応援団」は多いようで、朝日新聞ラジオテレビ欄の「はがき通信」では11月以降、「玉川さんの復帰を切望する」という投稿が圧倒的に多い、と翌年２月まで毎月掲載した。こうした声に後押しされる形で、玉川さんは２０２３年４月３日から「モーニングショー」のコメンテーターに復帰した。

玉川さんの「応援団」は、コメンテーターに調べ尽くした事実や見識を求めるのではなく、公権力や体制に異議を唱える代弁者の言葉にカタルシスを求めているのかもしれない。とすれば、真実を見極めるジャーナリストが必要とされているのではなく、視聴者が欲する姿勢や言葉に応じる芸や振る舞いに達者なタレントが存在すればいいのだろうか。それにしても一回の重大な誤報で記者人生を断たれる例が枚挙にいとまがない中で、深刻な事実誤認を繰り返しながら短期間で復帰させたテレビ朝日は玉川さんの人気をあてこんで判断したのだろう。報道倫理よりも声の大きい関係者の意向を優先させた決定をしたのだとすれば、気に入らない報道に対しては一部の宗教団体が展開する執拗な抗議を恐れて問題を取り上げないという選択に通じるものがあるのではないか、と懸念する。

この本で多く引用させていただいたネットニュース編集者の中川淳一郎さんは「問題は、ネット上に安易に誹謗中傷を書く人々が『軽い気持ちだった』と多くの場合言うことだ」と述べたうえで、「それだけの凶器を我々は手にしまったのである」と書いた。ネット黎明期に危惧されたマイナス面が、ほぼ四半世紀を経て拡大され定着されてしまった現実を苦い思いで見つめている。

匿名での書き込みが無責任さにつながり、誹謗中傷に発展しているのはあまたの実例がある。その一方で、実名では本音を打ち明けにくかったり、立場を離れた自由闊達な議論をしにくかったりするという弊害が語られてきた。実名にこだわれば、ネット上では内部告発ができなくなり、成りすましが増えかねないという懸念もあるだろう。

ただ、実名でなければ主張に責任を伴っていない、というものでもない。そう考えれば、内部告発など限られた内容を除けば、ネット上の表現行為が匿名でなされる必然性はないように考える。一般市民の立場での「軽い気持ち」による投稿が与える加害性の大きさと比較すれば、匿名原則のままでいいのだろうか、という思いに駆られる。何を意見と定義するのかという難しさを承知の上で、意見をネットで述べるときは実名を原則とするべきではと考える。ただ、世界中の人々を前に心の中で思っていることを日記に書くような行為を強いるのは、逆ユートピアの世界かもしれない。匿名のつぶやきやささやきが許されないのは、密告が横行した独裁国家に通じるともいえる。現実的には、ネット上で誹謗中傷の発言をした人には、発言の責任をしっかり取ってもらうというルールを積み重ねることが、目をそむけたくなるような書き込みを減らす近道かもしれない。ネットの歴史を振り返るとき、個人的には、無料のネットの場では「悪貨が良貨を駆逐する」という現実が変わるのは期待できない心境だ。嫌韓本や嫌中本があふれる書店に立ち入るのを気が進まないのと同様に、罵詈雑言が見られない有料サイトになるべく滞在するといった自衛策を取るしかないのかな、とも考えている。

小説家の金原ひとみさんは、『母』というペルソナ」と題した朝日新聞（2023年11月15日付）への寄稿で、育児での孤立感がSNSで救われていることを取り上げた。「産後うつに陥った私は、長女が赤ん坊のころ何度も自殺への衝動に駆られた。理由なき自己嫌悪と責任の重さへの恐怖で正気が保てず、万力で身体中を締め付けられ、バチンと体内のものが飛び散る寸前のところで、今日を乗り越えることだけを繰り返していた」「どこに行っても泣く子は煙たがられ、家でも外でも温かい飯にはありつけず、心なき育児ロボットとして扱われている気しかせず、いつしか自分もそういう自己認識をしていた」と赤裸々に綴った。そのうえで、「きっと多くの母親たちが同じ閉塞感、孤立感に苦しんでいたはずだけれど、子供を生かすことに必死な人々には他の人の声は届かない。この十数年でTwitterなどのSNSで育児当事者同士がつながったり、思いの丈を吐露できる環境が整い、当事者のみならず子供を望んだり検討したりする人々の目にも入るようになったことは、SNSによって生じる別の問題を差し引いても素晴らしいことだ」と、SNSへの評価を表明していた。

さまざまな動きや見解に注意を払いながら、インターネットをめぐる目まぐるしい出来事と新しい技術やサービスの展開を見つめてきた。想像を超えた事件や被害を耳にするたびに、毎日のように上書きされるインターネットの世界をスタート地点に戻り、どこで選択をミスし道を誤ったのかを考え直す必要があるのでは、と思うようになった。

新聞記者時代は毎日の取材に追われてきたが、退社してからインターネットの問題について集中して思考するようになった。個人に情報が行き渡りそれぞれの判断が反映されるという民主的な世界の到来が語られていたのに、フェイクニュースが流布しネットの最先進国の米国で国会議事堂が市民によって襲撃される事態が引き起こされるとは、誰も予見できなかった。思い描かれていた未来が、いつから裏切られるようになったのか。その理由は何なのか。自分なりに可能な限り文献にあたり、論考を重ねることにした。その最中にもＣｈａｔＧＰＴという生成ＡＩが話題になり、数々の懸念が語られた。インターネットという毎日のように変化し成長する分野だけに、最終到達点から見た「検証」は不可能かもしれない。しかし、30年間という日本のインターネットサービスの歴史を踏まえつつ、現実と向き合い伴走しながら、問題点や危険性を指摘する重要性は増すことはあっても減じることはないと確信している。

「裏切られた未来」を少しでも「望まれる現実」に近づける議論の一助とするために、この本を書こうと考えた。記者として現場で取材し、記事として伝える作業を繰り返してきた。しかし今回は、広範囲にわたるインターネットの出来事についての報道をもとに、信頼できる論考を参考にしながら私自身の問題意識や考えを提示するスタイルを取った。現在進行形のテーマを対象にしているため今回の形式を選択した。

それゆえ、インターネットの将来はこうなる、ＩＴ産業の市場規模はどうなりそうだ、といった「経済」の視点からは外れている。インターネットが世の中や人々の暮らしや意識のどのような影響を与えたかという「社会論」の観点から記述している。インターネットを抜きにした生活が考えられなくなったいま、その功罪をいま一度考えるのはムダではあるまい。インターネットの「光と影」を見つめ抜くことが、あるべき姿を考え直すことになる。現実がこうなっている、技術的にあんなことができる、といった主体性のない判断に基づくのではなく、過去の失敗を忘れずプラスとマイナスをしっかりと把握したうえで結論を出していかないと、思いも寄らない末路に進んでいきかねない。そうならないために少しでも役立てば幸いだ。

最後に、本書を世に出すために尽力していただいた花伝社の編集者、大澤茉実さんに感謝の言葉を申し上げたい。２０１９年に同社から刊行された『変容するＮＨＫ』に引き続いて担当していただいた。デジタル分野に造詣が深い適任の舵取り役として勘所を押さえた手綱さばきに支えられ、スピーディーな出版に導いてもらった。

川本裕司（かわもと・ひろし）
ジャーナリスト。1959年、大阪府生まれ。京都大教育学部卒。1981年、朝日新聞社入社。学芸部、社会部記者、編集委員（メディア担当）などを務め、2023年に退社。単著に『変容するNHK』（花伝社）、『テレビが映し出した平成という時代』（ディスカヴァー・トゥエンティワン）、『ニューメディア「誤算」の構造』（リベルタ出版）。共著に『新聞と戦争』（朝日新聞出版、石橋湛山記念早稲田ジャーナリズム大賞）、『原発とメディア２』（朝日新聞出版、科学ジャーナリズム大賞）など。

**裏切られた未来——インターネットの30年**

2024年４月10日　初版第１刷発行

著者 ——川本裕司
発行者 —平田　勝
発行 ——花伝社
発売 ——共栄書房
〒101-0065　東京都千代田区西神田2-5-11出版輸送ビル2F
電話　03-3263-3813
FAX　03-3239-8272
E-mail　info@kadensha.net
URL　https://www.kadensha.net
振替 ——00140-6-59661
装幀 ——黒瀬章夫（ナカグログラフ）
印刷・製本—中央精版印刷株式会社



ISBN978-4-7634-2111-1 C0036